Mary C. Neal
Einmal Himmel und zurück

D1487540

MARY C. NEAL

Einmal Himmel und zurück

*Der wahre Bericht einer Ärztin
über ihren Tod, den Himmel, die Engel
und das Leben, das folgte*

Aus dem Amerikanischen übersetzt
von Gabriel Stein

Die Originalausgabe erschien 2012 unter dem Titel
TO HEAVEN AND BACK
im Verlag Waterbrook Press, USA

Allegria ist ein Verlag der Ullstein Buchverlage GmbH
8. Auflage 2013
ISBN: 978-3-7934-2253-2

© der deutschen Ausgabe 2013 by
Ullstein Buchverlage GmbH, Berlin
© der Originalausgabe 2012 by Mary C. Neal
Übersetzung: Gabriel Stein
Lektorat: Marita Böhm
Umschlaggestaltung: FranklDesign, München
Titelabbildung: Mark D. Ford
Fotos im Innenteil: © Mary C. Neal
Satz: Keller & Keller GbR
Gesetzt aus der Minion
Druck und Bindearbeiten:
GGP Media GmbH, Pößneck
Printed in Germany

Ich widme dieses Buch Gott.
Du hast mir das Leben geschenkt,
und ich lebe zu deiner Ehre.

Inhalt

Das ist der Beginn eines neuen Tages.
Gott hat mir diesen Tag geschenkt,
damit ich ihn nach meinem Willen nutze.
Ich kann ihn vergeuden
oder mich in seinem Licht entfalten
und anderen Menschen Beistand leisten.
Aber was ich mit diesem Tag mache, ist wichtig,
denn ich habe dafür
einen Tag meines Lebens eingetauscht.
Mit dem morgigen Tag wird der heutige
für immer vorbei sein.
Ich hoffe, nicht den Preis zu bereuen,
den ich dafür gezahlt habe.

Anonym

Vorwort

Die besten und schönsten Dinge
in dieser Welt können nicht gesehen,
ja nicht einmal gehört werden,
sondern müssen mit dem Herzen gefühlt werden.

Helen Keller

Gott und seine Engelsboten sind heute in unserer Welt präsent und aktiv, und ihre Teilnahme und Wirkung sind sowohl gewöhnlich in ihrer Häufigkeit als auch ungewöhnlich in ihrer Einzigartigkeit. Obwohl ich meines Erachtens ein ganz normales Leben führe, hatte ich das Privileg, von Gott in sichtbarer und deutlich fühlbarer Weise berührt zu werden. Eine dieser Erfahrungen begann am 14. Januar 1999, als ich mit meinem Mann den Urlaub in Südamerika verbrachte. Während einer Kajakfahrt wurde ich fast eine Viertelstunde lang unter Wasser gedrückt und ertrank. Ich starb und stieg zum Himmel auf. Nach einem kurzen Aufenthalt dort oben gelangte ich wieder in meinen Körper. Mit zwei zerschmetterten Beinen und ernsten Lungenproblemen kehrte ich in mein irdisches Leben zurück. Mehr als einen Monat war ich im Krankenhaus, noch länger an den Rollstuhl gefesselt und über sechs Monate außerstande, die Arbeit in meiner Praxis für orthopädische Chirurgie auszuüben.

Viele haben meinen Unfall als schrecklich und tragisch bezeichnet. Ich bezeichne ihn als das größte Geschenk, das mir je zuteilwurde. Die Ereignisse um meinen Unfall und meine Genesung waren nicht weniger als ein Wunder. Nicht nur hatte ich das Privileg, den Himmel zu erleben, sondern auch in den Wochen nach meiner Rückkehr die Intensität der Welt Gottes wahrzunehmen und mehrere Gespräche mit Jesus zu führen.

Durch diese Erfahrungen gewann ich Einblick in viele wichtige Fragen wie »Was geschieht, wenn wir sterben?«, »Warum sind wir hier?« und »Weshalb widerfahren guten Menschen schlimme Dinge?«.

Außerdem verstand ich die Aussage des Apostels Paulus in 1. Korinther 13, dass von den drei Tugenden Glaube, Hoffnung und Liebe die Letztere am größten und beständigsten ist. Ich hatte bereits meine Gründe, an Wunder zu glauben, doch jene Reise zum Himmel und zurück verwandelte meinen Glauben in Wissen und meine Hoffnung in Wirklichkeit. Meine Liebe aber blieb unverändert und dauerhaft.

Einer der Gründe für meine Rückkehr zur Erde bestand darin, anderen diese Geschichte zu erzählen und ihnen zu helfen, den Weg zurück zu Gott zu finden. In meiner ersten Genesungsphase wurde ich aufgefordert, sie mit kleinen Gruppen in meiner Gemeinde zu teilen, und die wiederum teilten sie mit ihren Freunden und Familienmitgliedern. So verbreitete sich die Geschichte in weiten Teilen des Landes, und die Empfänger berichteten mir immer wieder, wie nachhaltig ihr Leben dadurch beeinflusst werde. Bei dem anschließenden Erfahrungsaustausch wurde mir bewusst, dass sie eigentlich nicht mir gehört, sondern Gott, und weitergegeben werden soll. Auf diese Weise hat sie schon viele Menschen inspiriert, zu Diskussionen angeregt und oft zu einer erneuerten Beziehung mit Gott geführt. Sie hat die Angst vor dem Tod verringert und die Leidenschaft für ein erfülltes und sinnvolles Leben vergrößert, den Glauben vertieft und Hoffnung auf die Zukunft geweckt.

Noblesse oblige:
Mit dem Privileg kommt die Verantwortung

Fürwahr, Gott gibt nicht jedem von uns eine Lampe an die Hand, damit wir sie unter dem Bett oder im Hinterzimmer verstecken, sondern damit wir ihr Licht in die Welt ausstrahlen lassen. Ein ums andere Mal vertreibt es Dunkelheit und Leere. Schließlich überkam mich das Gefühl, dass die Niederschrift meiner Geschichte sich lohnen würde, wenn deren Lektüre auch nur *eine* Person Gott näherbringen könnte. Also begann ich, den Bericht über meine Beobachtungen und Erfahrungen zu notieren.

Allerdings habe ich nicht wissen können – selbst dann nicht, als ich an der Endfassung des Manuskripts arbeitete –, dass auch mein dringendes Bedürfnis, es zum Abschluss zu bringen, auf Gottes Eingriff in mein Leben zurückging. Denn die Geschichte war damit noch nicht zu Ende …

Einleitung

Höre, Gott, mein Schreien und merke auf mein Gebet!
Vom Ende der Erde rufe ich zu dir,
denn mein Herz ist in Angst,
du wollest mich führen auf einen hohen Felsen.

Psalm 61,2-3

Die schmale zweispurige Straße in den entlegenen Bergen Mexikos war durch den Regen der vergangenen Nacht völlig durchnässt. Zu fortgeschrittener Stunde waren wir immer noch mehrere Stunden von der Hauptstraße entfernt, als unser klappriger Kombi von der Fahrbahn abkam und sofort in den zähen Schlamm des Seitenstreifens sank. Zu unserer Reisegruppe zählten neben mir, fünfzehnjährig, ein Missionarsehepaar, ein weiterer Teenager und ein Säugling. Die durchdrehenden Räder fanden keine Bodenhaftung, und so sackte der Wagen schnell bis zu den Achsen ein. Ebenso schnell übermannte uns die Angst, da wir wussten, dass es beinahe unmöglich wäre, ihn mit eigenen Kräften aus dem Morast zu ziehen oder weit genug zu gehen und Hilfe zu holen.

Auf einen derartigen Zwischenfall waren wir nicht vorbereitet. Der Säugling bräuchte bald Nahrung, und die Außentemperatur würde merklich fallen, sobald die Sonne hinter dem Horizont verschwand. Wir mussten den Wagen unbedingt auf diese einsame Straße zurückbringen, über die wir im Laufe des Sommers häufig gefahren waren, ohne je ein anderes Fahrzeug zu sehen. Also besannen wir uns ausschließlich auf unsere Aufgabe und versuchten immer wieder, die Räder freizulegen. Der Schlamm schien grenzenlos tief zu sein, und unsere Anstrengungen wirkten allzu schwach.

15

Bei der mühseligen Arbeit begannen wir, inbrünstig und ziel-gerichtet zu beten, Gott möge »Felsbrocken unter uns legen«, und siehe da …

Kaum waren uns diese Worte über die Lippen gekommen, sahen wir fassungslos einen rostigen alten Pick-up, der uns ratternd entgegenkam. Der Fahrer war falsch abgebogen und versuchte, den Weg zur Hauptstraße zu finden. Als wir ihm von unserer misslichen Lage erzählten, bot er liebenswürdig an, uns bis zur nächsten Stadt mitzunehmen. Das Führerhaus war für uns alle zu klein, also kletterten wir übermütig auf die Ladefläche und setzten uns auf die Fracht … die aus Fels-brocken bestand. Ihr Anblick erfüllte uns mit Freude, denn wir wussten, dass unsere Gebete erhört worden waren.

War das die Antwort auf unsere zielgerichteten Gebete? Hatte Gott, wiewohl mit einem Sinn für Humor, in unser Leben ein-gegriffen und unsere Gebete beantwortet? War der Fahrer des Pick-ups ein Engel oder ein anderer Bote Gottes? Handelte es sich um ein Wunder? Vielleicht war es einfach nur Glück oder Zufall. Als Zufall bezeichnet man ein unerwarte-tes, nicht vorhersehbares Ereignis. Glück wiederum ist das Ergebnis des Zusammentreffens besonders günstiger Um-stände. Ich für meinen Teil nenne den Vorgang ein Wunder: ein außergewöhnliches Geschehen, das dem Werk Gottes zu-zuschreiben ist.

Die Bibel beschreibt zahlreiche Situationen, in denen En-gel von Gott ausgesandt werden, um Notleidenden zu helfen, wenn ringsum Chaos herrscht, wenn ihr Leben bedroht ist – oder im Augenblick des Todes. Wunder gibt es offenbar über-all auf der Welt; Katholiken und Protestanten berichten da-rüber ebenso wie Muslime und Hindus. Dem Koran zufolge ist ein Wunder der »übernatürliche Eingriff in das Leben ei-nes Menschen«. Die katholische Kirche sieht darin »Gottes

Werk«, normalerweise mit einem bestimmten Zweck, etwa die Bekehrung eines Menschen zum Glauben.

Zyniker hingegen behaupten, dass Wunder den Naturgesetzen widersprechen und daher nicht geschehen können. Doch nach Auffassung derer, die dem Glauben anhängen wie ich, kann man ein Wunder auf andere Weise betrachten.

Situation 1

Ein Ball wird aus der Höhe fallengelassen und fällt zu Boden. Er gehorcht den Gesetzen der Natur.

Situation 2

Ein Ball wird aus der Höhe fallengelassen und fällt zu Boden. Eine Hand erscheint und fängt ihn auf. Der Ball erreicht niemals den Boden. Er hat den Gesetzen der Natur gehorcht, aber die Hand griff ein. Wäre es die von Gott, hätten wir einen göttlichen Eingriff beobachtet, ohne dass den Gesetzen der Natur widersprochen worden wäre.

Ich glaube, dass Gott auf jener schmalen Straße in Mexiko unseren Schrei aus tiefem Herzen hörte und beschloss, zu unseren Gunsten einzugreifen. Obwohl seine Antwort nicht so ausfiel, wie wir es erwartet hatten, gab er uns eine spezifische Antwort auf unser spezifisches Gebet: Er legte Felsbrocken unter uns.

Im Laufe der Jahre habe ich – wie die meisten Menschen – meine Spiritualität hinterfragt. Ich habe mir Gedanken gemacht über die Wirklichkeit Gottes, seine Rolle in meinem Leben, warum so viele schlimme Dinge geschehen dürfen und was es mit dem Leben nach dem Tod auf sich hat. Ungeachtet dieser Fragen und Zweifel war ich seit jener Erfahrung im Teenageralter Zeugin unzähliger erhörter Gebete und göttlicher Eingriffe.

Als ich während einer Kajakfahrt in Südamerika ertrank, wurde mir die große Freude, das Privileg und Geschenk zuteil, zum Himmel und zurück zu reisen. Ich hatte Gelegenheit, mit Engeln zu sprechen und eine ganze Reihe von Fragen zu stellen. Dabei gewann ich tiefe Einblicke. Dieses Abenteuer führte dann unter anderem dazu, dass ich Menschen zuhören konnte, die von ihren eigenen spirituellen Begegnungen und Nahtoderfahrungen berichteten. Ihre Geschichten beginnen meistens mit den Worten: »Ich hab noch nie davon erzählt, denn ich dachte, keiner würde mir glauben, aber jetzt ist der Moment gekommen ...«

Ist Gott heute in unserer Welt anwesend? Geschehen weiterhin Wunder? Sind wirklich Engel um uns? Hält Gott seine Versprechen? Gibt es einen triftigen Grund dafür, durch den Glauben zu leben? Ich würde jede dieser Fragen mit einem klaren Ja beantworten – und bin überzeugt, dass Sie zu dem gleichen Schluss kommen, wenn Sie von den Wundern lesen, die ich gesehen und am eigenen Leib erfahren habe.

1

Die frühen Jahre

*Denn ich weiß wohl, was ich für Gedanken über
euch habe, spricht der Herr: Gedanken des
Friedens und nicht des Leides, dass ich euch
gebe Zukunft und Hoffnung.*

Jeremia 29,11

Ich bin in einer ganz normalen Stadt in Michigan, im Mittleren Westen der Vereinigten Staaten, geboren und aufgewachsen. Mit meinen Eltern Bob und Betty, den zwei Brüdern Rob und Bill, meiner Schwester Betsy und einem kleinen Dackel namens Trinka wohnte ich in einem Viertel der Mittelschicht. Mein Vater war von Beruf Allgemeinchirurg und meine Mutter Hausfrau.

Ich verlebte eine angenehme Kindheit, die in mancher Hinsicht idyllisch war. Ich hatte nicht immer, was ich wollte, aber es fehlte mir nie etwas, was ich brauchte. Vor allem aber fühlte ich mich von meiner Familie stets geliebt, denn das ist das Wichtigste für jedes Kind. Der Bach, der durch den hinteren Teil unseres Anwesens floss, bescherte mir vielerlei aufregende Erfahrungen und Abenteuer. Ich verbrachte unzählige Stunden in und an diesem Bach mit Schwimmen, Bootfahren, Angeln, Schlittschuhlaufen – und mit Erkundungen.

Ich erfuhr vieles über Schnecken, Würmer und Blutegel. Ich sah, was passiert, wenn ein Hund den Speck vom Angelhaken frisst, und lernte, einer nach dem Finger schnappenden Schildkröte nicht ins Auge zu schauen. Meine beste Freundin und ich legten im Frischwasser eine raffiniert ausgeklügelte

Farm für Venusmuscheln an, nur um dann später herauszufinden, dass Perlen von Austern gebildet werden und nicht von Venusmuscheln. Das alles bereitete mir großes Vergnügen und nährte meine Vorliebe dafür, tief in die natürliche Welt einzudringen.

Meine Familie besuchte die örtliche presbyterianische Kirche und gehörte einer Konfessionsgemeinschaft an, in der mein Großvater, Urgroßvater und Ururgroßvater die geistlichen Weihen empfangen hatten. Unsere hohe Kirche aus traditionellem Stein überragte stolz den Stadtplatz. Während die Fassade eher nüchtern und nicht sehr einladend wirkte, wölbte sich das Innere mit seinen großen herrlichen Buntglasfenstern zum Himmel. Die abgenützten Kirchenbänke waren aus massivem dunkelbraunem Holz gefertigt.

Wir, meine Geschwister und ich, ließen die Sonntagsschule und den Konfirmationsunterricht, die Gottesdienste und gelegentlichen Versammlungen der Jugendgruppe über uns ergehen, aber diese Aktivitäten erschienen mir im Grunde eintönig und langweilig. Obwohl ich bereitwillig mitmachte, hatten sie offenbar kaum Einfluss auf mein Leben. Während der Kindheit und Jugend entwickelten wir gewiss nie eine Beziehung zu einem lebendigen, liebevollen Gott. Ich erinnere mich nicht daran, dass ich Gott oder Jesus Christus in meinen Alltag oder meine Gedankenwelt hätte einbinden sollen. Gott war so etwas wie eine »Sonntagssache«, und zu Hause sprachen meine Eltern nie über Spiritualität oder Religion. In vielerlei Hinsicht aber dienten sie ihren Kindern als Vorbilder für ein christlich geführtes Leben.

Meine Mutter war liebevoll, stets hilfsbereit und eine aktive Freiwillige in etlichen gemeinnützigen Organisationen. Mein Vater zeigte tiefes Mitgefühl mit jenen, die vom Schicksal weniger begünstigt waren, und ein hohes Maß an Selbstlosigkeit in seiner Tätigkeit als Chirurg. Oft folgte ich meinem Vater, wenn er seine Patienten im Krankenhaus untersuchte oder wenn er am Wochenende in die Notaufnahme gerufen wurde. Ich stellte fest, dass sein Leben dem Dienst an den Mitmenschen gewidmet war, denen er immer freundlich und respektvoll begegnete, dass er sich nicht vom Drang nach Geld leiten ließ und die Gefühle und Bedürfnisse der anderen über die seinen stellte.

Als ich mich dem Teenageralter näherte, wurde ich unabhängiger und begann, meine eigenen Ansichten zu vertreten. Ich fand heraus, dass mein Vater trotz seiner ausgeprägten Fähigkeit zu gemeinsamen Unternehmungen nicht sehr gut darin war, seine Gefühle mit mir zu teilen oder über Themen zu diskutieren, die ich als wichtig oder schwierig empfand. Ungeachtet seiner Schwächen verehrte ich ihn – und war fassungslos, als im Frühjahr 1970 die Ehe meiner Eltern zerbrach und meine Mutter ihn aufforderte, das Haus zu verlassen.

Zu jener Zeit galt eine Scheidung noch immer als Skandal, und so war ich schockiert, als meine Eltern sich im Herbst 1971 endgültig trennten. Ich war in der siebten Klasse und wurde schnell zu einer ebenso verwirrten wie wütenden Jugendlichen. Konfrontiert mit der Scheidungsanzeige in der Zeitung konnte ich nicht länger verleugnen, dass meine aus den 1950er-Jahren stammende Vorstellung von einer typisch amerikanischen Familie zerstört worden war. Während dieser Phase erschien mir die Teilnahme am Gottesdienst als eine der wenigen Konstanten in meinem Leben.

Meine zwei älteren Geschwister waren bereits auf dem College, während mein Bruder und ich weiterhin mit der Mutter im Haus unserer Kindheit lebten. Jeden Sonntagmorgen fuhr mich mein Vater zum Frühstück im örtlichen Schnellimbiss und anschließend zum Gottesdienst. Nach wie vor beschämt und wohl auch wütend über die Scheidung meiner Eltern,

21

weigerte ich mich, mit ihm zusammen in die presbyterianische Kirche zu gehen. Also besuchten wir stattdessen den Frühgottesdienst in der Episkopalkirche. Hinterher unternahmen wir gewöhnlich einen Spaziergang und kehrten dann zu seiner Wohnung zurück, um den Tag mit einem Abendessen – Brathähnchen mit grünen Bohnen – zu beschließen. Das war die einzige Speise, die er je zuzubereiten wusste. Obwohl ich seine Grenzen erkannte, hielt ich weiterhin an dem Wunsch fest, dass er nach Hause und unsere Familie zu dem Ideal meiner erinnerten Kindheit zurückkehre.

Meine Mutter war jung, attraktiv und interessant, weshalb ich ihr den Wunsch, mit einem anderen Mann auszugehen, nicht hätte missgönnen sollen. Ich tat es trotzdem und versuchte, solche Techtelmechtel auf jede erdenkliche Weise zu stören. Immerhin war Mack der erste Typ, der es nach dem Auszug meines Vaters ernst mit ihr meinte. Als ich jedoch eines Abends nach Hause kam, fiel mir auf, dass er tatsächlich alle von mir gerade gebackenen Plätzchen (von denen kein einziges für ihn bestimmt war) aufgefuttert hatte. Wutentbrannt sagte ich ihm meine Meinung – und war dann äußerst entzückt, ihn nie wiederzusehen.

Der nächste Mann, der mit viel Geschick Mamas Aufmerksamkeit fesselte, war George. Er stand dem Country Club vor, wo meine Brüder arbeiteten, und sie erzählten ihm von unserer Mutter. Nachdem sie ihn gedrängt hatten, endlich bei ihr anzurufen, entwickelte sich zwischen George und Mama eine innige Beziehung. Obwohl die Trennung meiner Eltern seit langem vollzogen war, fand ich die Vorstellung, dass meine Mutter einen »Freund« hatte, unerträglich. Zu seiner Ehre muss gesagt werden: Er war lustig, freundlich, sanftmütig, verständnisvoll und äußerst geduldig. Außerdem war er der beste und ausdauerndste Rückenkratzer, den die Menschheit je kannte, was – wie ich hinzufügen könnte – eine sehr erfolgreiche Methode war, meinen Widerstand zu brechen. Er liebte meine Mutter und liebte ihre Kinder. So hielt sie ungefähr ein Jahr nach dem ersten Rendezvous eine Familiensitzung ab und bat uns um die Erlaubnis, George zu heiraten. Es war unmöglich, ihr dieses Glück zu verweigern. Doch tief im Innern blieb ich gespalten. George war zwar ein anständiger Mann und in meinen Augen sicherlich ein vernünftiger Stiefvater, aber ich betete weiterhin täglich für die Rückkehr meines Vaters und des Lebens, das ich gekannt hatte.

Bis zu dem Moment im Jahre 1973, da der Pfarrer George und Mama offiziell zu »Mann und Frau« erklärte, bat ich inständig darum, meine Vater möge eintreffen, um die Hochzeitszeremonie zu unterbrechen und seine Familie zurückzuverlangen. Als dies nicht geschah, zog ich den Schluss, dass Gott sogar meinen verzweifeltsten Gebeten kein Gehör geschenkt und sie ganz gewiss nicht beantwortet hatte.

In meiner Enttäuschung verwarf ich sogar den Gedanken ans Beten. Ich war nur ein winziges Geschöpf auf einem Planeten mit über vier Milliarden Menschen. Wenn es tatsächlich einen Gott gab, warum sollte er dann meinen Gebeten lauschen oder sie erhören? Ich gelangte zu der Überzeugung, dass meine Vorstellungen von einem allgegenwärtigen Gott, der sich um jedes Individuum kümmert, ein kindischer und dummer Aberglaube waren, und beschloss, meinen Weg ohne ihn fortzusetzen.

Mit fünfzehn Jahren war ich eine kluge, versierte, selbstbewusste junge Frau. Ich glaubte zu wissen, was für mich am besten sei, und hielt mich für reif genug, meine Zukunft ohne göttliche Einwirkung selbst zu gestalten. Damals blieb mir verborgen, dass Gott meine flehentlichste Bitte nicht nur gehört hatte, sondern auch in einer Weise beantwortet, die größer und erfüllender war, als ich es mir je hätte vorstellen können. Durch die Heirat meiner Mutter bescherte Gott mir nämlich einen Stiefvater, der in seiner liebevollen, sanften und anmutigen Art unerschütterlich war. Als Erzieher brachte er mir wichtige Lektionen über Freude, Freundschaft und Verantwortung bei. Er lebte vor, wie eine liebevolle, auf gegenseitiger Achtung gründende Ehe auszusehen hat, und übte so einen der wichtigsten Einflüsse auf mein Leben aus.

Gott verspricht, dass er Pläne für uns bereithält, um uns Hoffnung und eine Zukunft zu geben, und dieses Versprechen hat er gehalten. Die Ankunft von George in meinem Leben war gewiss nicht die Lösung, für die ich gebetet hatte, sondern die weitaus bessere.

2

Außer Kontrolle geraten

Die Zukunft gehört denen,
die an die Schönheit ihrer Träume glauben.

Eleanor Roosevelt

Ungeachtet dessen, dass George stabilisierend wirkte, war mein Leben, als ich auf die Highschool kam, noch immer von Schmerz und Chaos geprägt. Die meisten meiner Freunde frönten dem Alkohol- und Drogengenuss, und ich geriet außer Kontrolle. In einer kühlen Märznacht – am Geburtstag meiner Mutter – holten John, Linda und ein weiterer Freund mich in dem nagelneuen Chevrolet Impala ab, der Johns Bruder gehörte. Obwohl die Tinte auf Johns Führerschein noch frisch war, ermunterten wir ihn, auf dem Weg zur Party in einer nahe gelegenen Stadt über einige »Achterbahnhügel« zu fahren.

Achterbahnhügel sind genau so, wie man sie sich vorstellt, sie ähneln denen in einem Vergnügungspark. Bei genügend schneller Fahrt hinab hüpft einem der Magen bis zum Hals. Die winterlichen Straßen waren vereist und die neuen Vinylsitze im Auto weich und rutschig, während wir anfingen, über die Hügel zu schweben. Linda bestand darauf, dass wir die Sitzgurte anlegen, aber das klickende Geräusch beim Anschnallen war noch nicht verhallt, als John die Kontrolle über den Wagen verlor. Wir prallten gegen einen Baum, drehten uns im Kreis und hörten sofort das schreckliche krachende Geräusch, mit dem der Kofferraum vom Insassenraum abriss. Der Wagen wurde auf die gegenüberliegende Straßenseite geschleudert, wo durch den Aufprall gegen einen zweiten Baum der vordere Teil mit dem Motor wegbrach. Der Insassenraum, in dem wir vier uns noch immer befanden, überschlug sich dann mehrmals auf einer Böschung, bis er schließlich mit der Oberseite nach unten zum Stehen kam. Obwohl wir, durch die soeben festgeschnallten Sitzgurte gehalten, umgedreht in der Luft hingen, wurde keiner von uns ernsthaft verletzt.

Während des Sturzes in den Abgrund hörte ich Gott laut und deutlich zu mir sagen: »Ich bin bei dir.« In diesem Augenblick schwand meine Angst, deshalb konnte ich sogar durch das zersplitternde Seitenfenster die Schönheit der sich drehenden Bäume und Sträucher bewundern. Das war meine erste fühlbare Erfahrung der Gegenwart Gottes in meinem Leben. Was ich gehört und empfunden hatte, beglückte mich, aber ehrlich gesagt war ich zugleich ziemlich geschockt. Allmählich dämmerte mir, dass der Glaube an Gott vielleicht doch nicht so »kindisch und dumm« war, wie ich gedacht hatte. Nun war Gott für mich real und präsent, und offenbar verfolgte er einen genaueren Plan für mein Leben als ich.

Nach diesem Unfall war mein Leben als Teenager weiterhin verwirrend, obwohl es mir sinnvoller und reichhaltiger erschien als vorher. Ich fing an, mein Verhalten, meine Freunde und meine Entscheidungen unter die Lupe zu nehmen, und hielt den Zeitpunkt für gekommen, mein Leben ernster zu nehmen sowie einige Änderungen vorzunehmen. Ich hatte keine Lust mehr, mit den Freunden am Freitagabend »herumzuhängen«, und dachte intensiver über meine Zukunft und meine Prioritäten nach. Ich besann mich auf meine Ziele und darauf, wie ich meinen Platz in der Welt finden könnte.

Ich besuchte weiterhin die Gottesdienste sowohl in der presbyterianischen Kirche wie auch in der Episkopalkirche. Außerdem ging ich mit meiner Freundin Merry Ann manchmal zur Oakland Road Christian Church. Obwohl ich in der presbyterianischen Kirche als Säugling getauft und später konfirmiert worden war, beschloss ich, bei einem der sogenannten Altarrufe in der Oakland Road Christian Church die Taufe durch Untertauchen zu vollziehen. Allein schon der Gedanke daran bringt mich zum Kichern, weil ich ziemlich introvertiert bin. Bei der Vorstellung, auf den öffentlichen Altarruf zu reagieren und in ein in die Vorderwand des Altars eingelassenes Plexiglasbecken, das mit Wasser gefüllt ist, getaucht zu werden, brechen die meisten meiner Freunde in schallendes Gelächter aus. Trotzdem tat ich genau das. Dabei muss der Heilige Geist auf mich herabgekommen sein, denn als ich wieder auftauchte, fühlte ich mich leicht wie eine Feder. Ich war voller Energie, euphorisch, ja ekstatisch. Gereinigt und neugeboren wurde ich zu einem neuen Menschen.

Gottes Versprechen, »ist jemand in Christus, so ist er eine neue Kreatur; das Alte ist vergangen, siehe, es ist alles neu geworden!« (2. Korinther 5,17), hatte sich erfüllt.

3

Mexiko

Verlass dich auf den Herrn von ganzem Herzen,
und verlass dich nicht auf den Verstand,
sondern gedenke an ihn in allen deinen Wegen,
so wird er dich recht führen.

Sprüche 3,5-6

Kurz nach meiner geistigen Verwandlung durch die Taufe las ich ein Kirchenblatt, darin sich der Spendenaufruf eines amerikanischen Missionarsehepaares befand, das in den Bergen von Zentralmexiko lebte. Obwohl es dafür keine ordentliche Ausbildung erhalten hatte, veranstaltete dieses Ehepaar Bibelcamps und leitete eine Krankenstation, die den bitterarmen Menschen in den Bergen um die Stadt Matehuala im Bundesstaat San Luis Potosí medizinische Versorgung bot. Die beiden brauchten Unterstützung, und ich fühlte mich sofort zum Handeln aufgerufen.

Ich war fünfzehn Jahre alt, ohne Geld, das ich dem Ehepaar hätte spenden können, und verspürte nur wenig Interesse an der missionarischen Tätigkeit. Aber die Arbeit in einer Krankenstation fernab der Zivilisation erschien mir als großes Abenteuer. Sofort nahm ich mit dem Ehepaar Kontakt auf, das mein Hilfsangebot herzlich begrüßte. Ihre einzigen beiden Fragen waren »Wie schnell kannst du kommen?« und »Wie lang kannst du bleiben?«. Also weihte ich meine Mutter in die Reisepläne ein. Es gelang uns, mit der Schule eine Vereinbarung zu treffen, der zufolge mir der Dienst in Mexiko als Praktikum angerechnet würde.

Schnell waren die Vorbereitungen getroffen, und kurz danach brach ich nach Mexiko auf. Dies war (im Rückblick natürlich) ein gutes Beispiel dafür, wie mühelos sich die Dinge fügen, sobald man Gottes Willen befolgt.

Ich habe viele Jahre gebraucht, um *eine* Lektion wirklich zu lernen: Wenn alles schwierig erscheint und das Gefühl hervorruft, gegen den Strom zu schwimmen, dann oft deshalb, weil man nicht die Richtung von Gottes Willen eingeschlagen hat. Doch wenn man ihn beherzigt, klappt alles wie von selbst, ohne große Anstrengung oder zahlreiche Hindernisse.

Das Missionarsehepaar unterhielt ein Haus in der Stadt Matehuala, verbrachte aber die meiste Zeit in einem ländlichen Bergdorf, das mehrere lange Stunden entfernt lag. Es geschah auf dem Heimweg von diesem Bergdorf, dass unser Kombi im Schlamm steckenblieb, wie ich es in der Einführung beschrieben habe. In den Bergen bewohnten wir ein kleines Bauernhaus; dort beschafften wir uns Nahrung, veranstalteten Bibelkurse und leisteten medizinische Hilfe für die Menschen in der umliegenden Gegend. Dazu gehörten die Behandlung von Kopfläusen, Spinnen- oder Tausendfüßlerbissen und gebrochenen Beinen wie auch chirurgische Eingriffe, etwa bei Blinddarmentzündungen. So schlicht diese medizinische Versorgung auch war – die Dörfler erachteten sie als die einzige, die ihnen zur Verfügung stand. Das Regionalkrankenhaus war viele Stunden entfernt. Außerdem sagten die Leute, sie würden dorthin nur reisen, wenn ihr Zustand so schlimm sei, dass sie nicht mehr auf eine Heimkehr bei lebendigem Leib hoffen könnten.

Die beiden Missionare brauchten wirklich dringend Unterstützung und schienen in einer Situation zu sein, die ihre Kräfte weit überstieg. Bei meiner Ankunft übergaben sie mir ein veraltetes medizinisches Handbuch und sagten, ich sei nun verantwortlich für die gesamte Geburtshilfe, ja sogar für den gelegentlich notwendigen Kaiserschnitt. Ich hatte nach dem Abenteuer gesucht und besaß viel Selbstvertrauen, war aber gewiss nicht auf dieses hohe Maß an Verantwortung vorbereitet; daher fragte ich mich, ob sie nicht eine völlig falsche Vorstellung von meinen Qualifikationen hatten.

Als ich ihnen diese Frage stellte, empfahlen sie mir, Gebete zu sprechen und um Unterweisung zu bitten.

Ich erwiderte ihnen, dass sie verrückt seien.

Während meines Aufenthalts in der Krankenstation betete ich jedenfalls fieberhaft. Ich wohnte einfachen Geburten bei, wirkte bei schwierigen Geburten mit, die Eingriffe erforderten, und führte sogar Kaiserschnitte durch. Glücklicherweise haben wir – ungeachtet meiner beschränkten Kenntnis, Erfahrung und Ausrüstung – nie ein Kind oder eine Mutter verloren.

Indem ich mir diese Erfolge als Verdienst anrechnete, hielt ich mich für eine schnell Lernende, eine gute Leserin und behutsame »Chirurgin« … Später in meinem Leben, nachdem ich das Medizinstudium abgeschlossen und die Facharztausbildung zur Chirurgin begonnen hatte, wurde mir jedoch schmerzlich bewusst, dass solche Anstrengungen nur wenig zu tun hatten mit meinen frühen Versuchen. Damals hatte ich nur meine Hände zur Verfügung gestellt, durch die Gott sein Werk verrichten konnte. Die Anerkennung gebührte ihm allein; ohne seine Anleitungen und Eingriffe hätten viele unserer Patienten wohl nicht überlebt.

Als ich jenen Aufruf im Kirchenblatt las, der mich schließlich in die mexikanischen Berge führte, interessierte ich mich für die Arbeit in der Krankenstation, aber nicht im Geringsten für die missionarische Tätigkeit. Die Verkündigung des Evangeliums, die Sonntagsgottesdienste und die Bibelcamps erschienen mir langweilig und unangenehm. In meinen Augen war Spiritualität eine private Angelegenheit, und die Vorstellung, darüber mit anderen zu diskutieren oder sie in ihrem Glauben zu bestärken, behagte mir nicht. Doch alle Bewohner des Bergdorfes – Erwachsene wie Kinder – nahmen an unseren Bibelcamps teil, und so stellte ich überrascht fest, dass ihre spirituelle Begeisterung nicht nur ergreifend, sondern auch ansteckend war. Sie hatten nur wenige materielle Dinge und oft nur genügend Nahrung für eine ordentliche Mahlzeit pro Tag, priesen und dankten aber Gott sofort und voller Anmut für ihre täglichen Segnungen. Gott war für sie nicht bloß eine »Sonntagssache«, und so sangen sie ihre Loblieder mit echter, tief im Herzen empfundener Freude.

Es inspirierte mich zu sehen, wie nachhaltig Gott im Leben dieser einfachen Menschen fern der Zivilisation wirkte, und zu erkennen, dass sie für ihn genauso sichtbar und wertvoll waren wie die äußerst geschäftigen und »wichtigen« Leute in den Großstädten. Zweifellos konnte nichts in ihrer Lage sie von Gottes Liebe trennen. Wenngleich der missionarische Aspekt dieses Abenteuers meine »Bequemlichkeit« auf die Probe gestellt haben mag, erwies er sich doch keineswegs als langweilig.

4

Geistiges Erwachen

Menschen sehen nur das,
was sie zu sehen bereit sind.

Ralph Waldo Emerson

Meine Erfahrungen in den mexikanischen Bergen vermittelten mir eine genauere Vorstellung von dem Menschen, der ich werden wollte, und so arbeitete ich nach Abschluss der Highschool weiter daran, sie zu verwirklichen. Die ritualisierten Gottesdienste in der Episkopalkirche gaben mir nach wie vor Rückhalt und aufgrund ihres vorhersehbaren Ablaufs ein Gefühl von Stabilität inmitten pubertärer Wirrungen. Das strahlende Leuchten der sonnenbeschienenen Buntglasfenster erfüllte meinen Geist mit Kraft, und die melodische Stimme des Kantors verlieh meiner Seele Flügel, auf denen sie ein ums andere Mal davonschwebte.

Zu bestimmten Anlässen besuchte ich auch die Gottesdienste in der presbyterianischen Kirche, der katholischen Kirche, der lutherischen Kirche und der nicht konfessionsgebundenen christlichen Kirchen in der Gemeinde meiner Familie. Ich habe die Vielfalt der Konfessionen, die in der heutigen Welt existieren, stets geschätzt. Ihre unterschiedlichen Formen der religiösen Andacht, der Kommunikation mit dem Göttlichen, bieten Menschen in den jeweiligen Stadien ihres Lebens und ihrer geistigen Reise die Möglichkeit, den Ort zu finden, wo sie sich am wohlsten fühlen und ihr Glaube stärker werden kann.

Nach der Highschool begann ich das Studium an der University of Kentucky. Obwohl meine Spiritualität zunehmend an Tiefe gewann, nahm ich dort nur selten an Gottesdiensten teil. In unserem Bildungssystem spielt Gott offenbar kaum eine Rolle. Zwar wird niemand direkt dazu aufgefordert, seinen Glauben oder seine Überzeugungen zu missachten, aber die Universität scheint den geistigen Aspekten des Daseins einfach keinen Platz einzuräumen, sodass die meisten Studenten sich immer weiter davon entfernen. Es geht ihnen ausschließlich um das Individuum – um das eigene Denken, Fühlen und Tun, die eigenen Wünsche und Planungen für die Zukunft. Selbst wenn man während des Studiums uneigennützig handelt und beispielsweise eine ehrenamtliche Tätigkeit ausübt, dann oft deshalb, weil sie innere Befriedigung gewährt oder im Lebenslauf einen guten Eindruck macht, doch nicht, weil man dem Ruf des Herzens folgt, den Mitmenschen zu dienen.

Da ich mich neben dem Grundstudium um einen Platz an der medizinischen Fakultät bewerben wollte, richtete sich meine Aufmerksamkeit hauptsächlich darauf, auch wenn ich als Mitglied des Uni-Schwimmteams bisweilen an Wettkämpfen teilnahm. Mangels Ermunterung, über die geistige Dimension meines Lebens nachzusinnen, widmete ich Gott in jenen Jahren wenig Zeit und kaum einen Gedanken. Im Grunde lebte ich in einer spirituellen Wüste, bis ich schließlich den Tauchsport entdeckte.

Als Studentin spendete ich regelmäßig Blut, um mein Taschengeld aufzubessern. Dies war ebenso simpel wie lukrativ, aber mit der Zeit fragte ich mich, wie es um die Sterilität in dem Blutspendezentrum bestellt war, lag es doch in einem sehr schmutzigen Stadtviertel. Außerdem dachte ich an die statistisch immer höhere Wahrscheinlichkeit, dass mir aufgrund eines Fehlers im Labor die roten Blutzellen von jemand anders injiziert werden könnten. Also hielt ich Ausschau nach einer alternativen Einnahmequelle und fand einen Wochenendjob im örtlichen Tauchsportgeschäft. Seit jeher liebe ich alles, was mit Wasser zu tun hat, und so verbrachte ich etliche Stunden damit, die Unterwasseraufnahmen in den dort angebotenen Fotobüchern zu bewundern. Ich war ergriffen von der grandiosen Schönheit jener göttlichen Schöpfungen unter Wasser und verliebte mich schnell in ihre Fülle und Vielfalt sowie in den Glanz der Farben, den die Fotos ausstrahlten. Bald darauf absolvierte ich meinen ersten Tauchkurs und wurde zu einer leidenschaftlichen Anhängerin dieses Sports. Einen Großteil meines Lohns tauschte ich gegen die Ausrüstung ein.

Als die Geschäftsleitung eine Reise zu den Florida Springs sponserte, war ich sofort mit von der Partie. Die Fahrt von Lexington nach Florida zog sich in die Länge, und unsere Gruppe traf erst spät dort ein. Aber an jenem Abend war das Wasser herrlich, ruhig und einladend. Wir, die Anfänger, sehnten uns so sehr danach, zum ersten Mal in offenem Gewässer zu tauchen, dass wir unsere Lehrer förmlich zwangen, gegen die oberste Regel für nächtliches Tauchen zu verstoßen: Tauche niemals nachts an der Stelle, wo du tagsüber noch nicht getaucht bist.

Voller Ungeduld schlüpften wir in unsere Taucheranzüge, legten die Sauerstoffflaschen an und sprangen begeistert ins Wasser. Unter der Oberfläche wich ich meinem Lehrer nicht von der Seite. Wir schwammen am Grund entlang, wo mich die Pracht der Fische ebenso faszinierte wie die vielfältigen Farben und Formen der Korallen. Mein erster Tauchgang in offenem Gewässer entsprach ganz meinen Erwartungen, aber schon allzu bald wurde der Sauerstoff knapp, und wir mussten zurückkehren.

Als wir unsere Schwimmwesten aufbliesen und nach oben trieben, erreichten wir jedoch nicht die Oberfläche, sondern stießen auf harten Fels. Wir bewegten uns in eine andere Richtung, und wieder versperrte ein steinernes Gewölbe den Weg. Wir waren versehentlich in eine Höhle geraten, deren Ausgang uns verborgen blieb.

Mein Lehrer und ich suchten nach einer Öffnung, aber die Sichtweite war vermindert, weil ich in meiner Unerfahrenheit mit den Flossen gegen den Grund des Sees geschlagen und eine Wolke aus Schlick aufgewirbelt hatte. Allmählich ging uns die Atemluft aus, während das Sauerstoffgerät seine Alarmsignale aussandte, die ringsum widerhallten. In diesem Augenblick erinnerte ich mich an das Beten. Ich rief Gott an, und sofort erfüllte mich das Gefühl von seiner Gegenwart sowie das Wissen, dass er uns den Ausweg zeigen und mir beistehen würde.

Damit meine ich natürlich nicht, dass er beabsichtigte, uns persönlich aus der Höhle zu geleiten. So versponnen bin ich nicht. Vielmehr spürte ich die Manifestation von Gottes Liebe und Gnade – in der Gewissheit, dass einer seiner Boten (ein Geist, ein Engel?) uns irgendwie den Weg weisen würde. Dank dieser Einsicht konnte ich meine Atmung verlangsamen und dafür beten, dass mein Lehrer den Überblick behielt. Der Schleier aus Schlick lichtete sich, und wir sahen mehrere Fische, die vor- und zurückschnellten, ehe sie eine Reihe bildeten und in der Strömung schwammen. Sie schienen uns das Zeichen zu geben, ihnen zu folgen, was wir auch taten. In Richtung der Fische tauchten wir ein letztes Mal zum Grund der Höhle, trieben dann aufwärts und gelangten schließlich an die Oberfläche des Sees, gerade als der Sauerstoffvorrat meines Lehrers völlig aufgebraucht war.

Hinterher sprachen wir beide ausführlich über unsere gemeinsame Erfahrung. Mein Lehrer war völlig auf sich selbst bezogen und verärgert, weil er die Situation nicht mehr im Griff gehabt hatte. Er fühlte sich verantwortlich für die Irrtümer, die uns unterlaufen waren und die er auf seine Fehleinschätzung zurückführte. Seiner Meinung nach hatten wir nur durch Zufall überlebt. Er hielt sich für einen Versager und betrank sich deshalb bis zur Besinnungslosigkeit. Für mich aber hatte unser Überleben eine ganz andere Ursache. Ich glaubte keineswegs, dass der Zufall mit im Spiel war, denn ich hatte ein tiefes Gefühl von Ruhe empfunden, bestärkt durch die Gewissheit, dass Gott uns in der Höhle beistand. Unser Überleben war *seinem* Eingriff zu verdanken, obwohl wir uns sehr ungeschickt verhalten hatten und er uns aus der Höhle förmlich hinaustreiben musste.

Die Erfahrung in den Florida Springs bewirkte ein Wiedererwachen meines spirituellen Wesens. Ich hatte das intensive, sichere Gefühl, dass wir alle aus einem bestimmten Grund auf der Erde sind und dass ich überlebt hatte, weil meine Arbeit auf diesem Planeten noch nicht beendet war. Dadurch sah ich mich in der Verantwortung, Gottes Willen hinsichtlich meines Lebens zu erforschen und nach besten Kräften dem Weg zu folgen, der mir vorgezeichnet war. Von nun an war ich fest entschlossen, Gott nicht mehr in den Hintergrund meines Lebens zu drängen, sondern ihn in meinen Gedanken und Taten stets gegenwärtig zu halten.

5

Gott ist treu

Der Herr segne dich und behüte dich;
der Herr lasse sein Angesicht leuchten über dir
und sei dir gnädig;
der Herr hebe sein Angesicht über dich
und gebe dir Frieden.

4. Mose 6,24-26

Nach Beendigung des College im Jahre 1980 zog ich nach Los Angeles, um an der University of California (UCLA) Medizin zu studieren. Diese Phase war, wie erwartet, anstrengend und aufreibend. Die ersten zwei Jahre spielten sich hauptsächlich im Hörsaal ab, waren durchaus interessant, aber nicht sehr erfreulich. Die klinische Ausbildung begann im dritten Jahr, und ich genoss es in vollen Zügen, auf den zahlreichen Gebieten der Allgemeinmedizin und der Chirurgie wichtige Lektionen zu lernen. Bald stellte ich fest, dass mich die chirurgischen Aspekte weitaus mehr faszinierten als die medizinischen, denn ich zog es vor, Probleme »anzupacken« und zu lösen, anstatt darüber zu diskutieren. Also entschied ich mich, insbesondere im Bereich der orthopädischen Chirurgie Erfahrungen zu sammeln; dabei wurde mir schnell bewusst, dass ich meinen Platz gefunden hatte. Ich mochte die »mechanische« Seite dieser Tätigkeit und war entzückt von der Vorstellung, den Bewegungsapparat der Patienten behandeln und deren Aktivität steigern zu können. Es war auch deshalb eine glückliche Wahl, weil ich im Team der Orthopäden meinen künftigen Ehemann kennenlernte.

Bill hatte sein Medizinstudium an der Stanford University abgeschlossen, und obwohl er dort seine chirurgische Ausbildung absolvieren wollte, war seine damalige Freundin – und damit auch er – aus beruflichen Gründen nach Südkalifornien gelockt worden. Diese Geschichte enthält ihrerseits eine ganze Reihe von »Zufällen«. Es genügt wohl, wenn ich sage, dass er gen Süden umziehen sollte. Jedenfalls trennten sich die beiden, als er für die weitere Ausbildung in orthopädischer Chirurgie an die UCLA kam, wo meine Freundin Peggy und ich seinem Team zugeteilt waren. Ich fand ihn ziemlich charmant, und nachdem meine Tätigkeit im Team beendet war, gingen wir zusammen aus. Schon bald wusste ich, dass ich den Rest meines Lebens mit ihm verbringen würde.

Vor dem Abschluss an der Medical School wurde ich in ein renommiertes Ausbildungsprogramm für orthopädische Chirurgie in New York City aufgenommen. Voraussetzung dafür war eine zweijährige Ausbildung in allgemeiner Chirurgie an anderer Stätte. Da meine Beziehung mit Bill sich prächtig entwickelte, kam mir dieses Arrangement sehr gelegen. Es beglückte mich, die ersten beiden Jahre an der UCLA absolvieren zu können.

Die Ausbildung in allgemeiner Chirurgie war äußerst intensiv und ließ kaum Zeit für Essen und Schlafen, geschweige denn für Aktivitäten, die nicht unmittelbar mit meiner Arbeit verbunden waren. Obwohl ich weiterhin Gottes Willen beherzigte, seiner Führung vertraute und gemäß den Anweisungen Jesu Christi lebte, rückte der Schöpfer nur allzu leicht wieder in den Hintergrund. Ich hatte wirklich keine Zeit für ihn.

Es war, als hätte ich Gott auf die Rückbank meines Wagens gesetzt. Ich wollte ihn in meiner Nähe haben, aber er durfte mich nicht ablenken; jedenfalls war ich nicht bereit, ihn den

Wagen fahren zu lassen. Zum Glück ist Gott geduldig und treu. Er sitzt hinten und wartet einfach auf unsere Aufforderung, nach vorn zu kommen, damit er steuern und auf die Pedale treten kann. Wenn wir ihm die Autoschlüssel aushändigen, nimmt er uns mit auf eine unglaubliche Reise.

Das heißt jedoch nicht, dass es auf meinem Weg nicht flüchtige Hinweise auf Gott gegeben hätte. Zwar hat die Medizin in jüngerer Zeit – allerdings eher versuchsweise – die geistige Komponente im Heilungsprozess wie auch im Sterben anerkannt, aber kranken Menschen ist dieser Zusammenhang seit jeher wohlvertraut. Während meiner Ausbildung bin ich vielen Patienten begegnet, die das Bedürfnis hatten, mir über ihre spirituellen Erfahrungen zu berichten. Das geschah meist in Form einer Entschuldigung und in verlegenem Ton, weil sie mich nicht kränken wollten und meinten, Mediziner würden ihnen nicht zuhören oder solchen Ausführungen keinen Glauben schenken. Wissenschaft und Spiritualität galten als unvereinbar.

So erinnere ich mich zum Beispiel an Jennifer, ein Mädchen, das im Alter von vierzehn Jahren unter totalem Leberversagen litt. Als ich mich ihrer annahm, hatte sie gerade eine Lebertransplantation hinter sich. Das geschah zu einer Zeit, in der diese Art von Eingriff noch im Entwicklungsstadium war, weshalb die Prognose düster ausfiel. Nach der Operation gab es zahlreiche Komplikationen, und die neue Leber arbeitete nicht richtig. Eine wichtige Aufgabe der Leber besteht darin, Gerinnungsfaktoren zu produzieren, aus denen sich dann Klümpchen bilden, die die Wunde »abdichten«. Ohne diese im Blut zirkulierenden Faktoren kann ein Patient an Wunden oder auch nur leicht verletzten Hautstellen verbluten. In den 1980er-Jahren standen dafür noch keine wirksamen Ersatzstoffe zur Verfügung.

Während wir also warteten, dass die neue Leber zu funktionieren begann, gaben wir Jennifer mehrfach ganze Bluttransfusionen mit faktorreichem Plasma. Fast täglich brachten wir sie in den Operationssaal zurück, um jene Stellen zu entdecken und zu kontrollieren, wo starke Blutungen auftraten. Jennifer am Leben zu erhalten war keine leichte Aufgabe, und sie wurde dieses Hin und Hers bald überdrüssig.

Eines Tages erzählte sie mir, dass sie keine Angst vor dem Sterben habe, aber davor, was mit ihren Eltern passieren würde. Offenbar hatte sie ihnen, als die Leber versagte, zu erklären versucht, dass Gott bei ihr sei, sie liebe und ihre »Heimkehr« wünsche. Und nur weil ihre Eltern das nicht akzeptieren wollten, hatte sie einer Lebertransplantation zugestimmt.

Als ich wieder einmal Vorbereitungen traf, Jennifer in den Operationssaal zu fahren, sagte sie mir, dass sie nicht zurückkommen werde. Sie bedankte sich für alles, was wir für sie getan hatten, und beteuerte, ihre Engel seien ganz nah und ich solle mich nicht grämen. Sie habe Mitleid mit ihren Eltern, aber die müssten sie nun »loslassen«. Ich hörte ihr aufmerksam zu und bejahte die Wahrheit, die in ihren Worten lag. Dessen ungeachtet ließ ich später am Tag, als ihr Herz zu schlagen aufhörte, meinen Tränen freien Lauf.

6

Eine frohgemute Einstellung

Trachtet nach dem, was droben ist,
nicht nach dem, was auf Erden ist.

Kolosser 3,2

Meine Zeit an der UCLA verging wie im Flug, und als der Augenblick näher rückte, nach New York zu gehen und dort die Spezialausbildung in orthopädischer Chirurgie zu beginnen, standen drei Dinge fest:

1. Bill und ich waren dazu bestimmt, das Leben gemeinsam zu verbringen.

2. Nach seiner Ausbildung zum Orthopäden hatte Bill einen wunderbaren Job, und seine in Los Angeles lebende Familie war von der Idee, dass er nach New York umziehen würde, keineswegs begeistert.

3. Weder Bill noch ich war an einer Fernbeziehung interessiert.

So kamen wir beide zu dem Schluss, dass es am besten wäre, wenn ich für meine Ausbildung in orthopädischer Chirurgie in Los Angeles bleiben könnte. Allerdings waren die Ausbildungsplätze in diesem Bereich höchst begehrt, schon lange im Voraus belegt und selten in letzter Minute verfügbar. Deshalb trafen wir uns mit einem Freund von Bills Familie, der damals eines der Ausbildungsprogramme für orthopädische

Chirurgie in Südkalifornien leitete. Er war verständnisvoll und zuvorkommend, versicherte mir aber, dass vor Ort keine Stelle frei sei und dass meine beste Option darin bestünde, die Ausbildung wie ursprünglich geplant in New York zu beenden. Bill und ich waren ziemlich enttäuscht und verließen das Treffen mit traurigen Gefühlen.

Ich hing der festen Überzeugung an, dass Bill und ich für ein gemeinsames Leben bestimmt waren. Zugleich wusste ich, dass ich meine Pläne für die weitere chirurgische Ausbildung nicht fallenlassen würde. Also übergab ich meine Sorgen Gott und bat ihn um Unterweisung. Einige Tage später erfuhr ich, dass einer der Teilnehmer am Ausbildungsprogramm für orthopädische Chirurgie an der University of Southern California sich unerwartet abgemeldet hatte und dass damit möglicherweise eine Stelle frei war. Ich rief sofort an, schickte meinen Lebenslauf und wurde dann für ein Vorstellungsgespräch eingeladen.

Eine der Fragen des Gremiums lautete: »Welches Buch haben Sie zuletzt gelesen?« Sie wird häufig gestellt und von den meisten Kandidaten in einer Weise beantwortet, die auf intellektuelle Fähigkeiten und außergewöhnliche Interessen schließen lässt. Ich hatte während meiner zuvor verbrachten Ferien *Der kleine Hobbit* von J. R. R. Tolkien oder etwas in dieser Art gelesen. Und so fiel mir beim besten Willen kein anderes Buch ein, das auf die versammelten Fachleute einen besseren Eindruck hätte machen können. Verlegen nannte ich ihnen den Titel des Buches mit dem Zusatz, dass ich gerade Ferien gemacht hätte und dass dieser Roman »nichts Wichtiges, bloß Fantasy« sei.

Ich bekam den Ausbildungsplatz und wurde später scherzhaft gefragt, ob ich die Gedanken der Mitglieder des Gremiums habe lesen können. Eines von ihnen erzählte mir nämlich, dass vor mir bereits einer Reihe von Kandidaten die gleiche Frage gestellt worden sei. Jeder habe ein intellektuell anspruchsvolles Buch hervorgehoben, was in Anbetracht der Tatsache, dass sie alle mitten in der chirurgischen Ausbildung standen, ziemlich unrealistisch schien. Man sei darüber ungehalten gewesen und habe untereinander den Wunsch geäußert, es möge ausnahmsweise ein Kandidat auftauchen, der sein zuletzt gelesenes Buch als bloße Fantasy bezeichnet.

Das Los Angeles County Hospital gehört zum »University of Southern California«-System und versorgt hauptsächlich die unterprivilegierten Schichten. Im Laufe meiner gesamten Ausbildung kümmerte ich mich um viele Menschen, die am Rand der Gesellschaft lebten, um Gefängnisinsassen und jene, die nach besten Kräften versuchten, ihren Beitrag für eine bessere Welt zu leisten. Übereinstimmend mit meinen Beobachtungen in den mexikanischen Bergen stellte ich fest, dass diese Leute – ja *alle* Menschen – nichts von Gottes Versprechen oder Liebe trennt, wenn sie nur darum bitten, dass er ihnen seine Tür öffne.

Gewiss lernte ich während meiner Ausbildungszeit viel dazu. Eine wesentliche Lektion, über die ich auch heute manchmal nachdenke, wurde mir aus einer ungewöhnlichen Quelle zuteil. Das alte Los Angeles County Hospital verfügte über ein ausgeklügeltes Aufzugssystem, das dreizehn Etagen miteinander verband, auf denen ständig rege Aktivität herrschte. Jeder Aufzug wurde von einem Angestellten bedient, der die Benutzer in Gruppen einteilte und die Knöpfe für die gewünschten Stockwerke drückte. Diese Aufzugführer waren meist auf ihr »Territorium« fixiert und schlugen die Hände der Personen weg, die selbst auf die Knöpfe drücken wollten. Das war ein undankbarer Job, weil jeder es eilig hatte und keiner der jungen Ärzte verstand, warum jemand einzig und allein dafür gebraucht wurde, auf Knöpfe zu drücken.

Eine Aufzugführerin erschien jeden Morgen um sechs Uhr mit einem breiten Lächeln auf dem Gesicht und offenbar tiefer Freude im Herzen. In dem düsteren Gebäude war sie immer eine Art Leuchtfeuer, und viele von uns warteten gerne länger, nur um in ihrem Aufzug zu fahren. Sie war alt, runzelig, ungebildet und wurde oft äußerst unhöflich behandelt. Doch sie ließ sich von niemandem und nichts den Tag verderben und teilte ihre Freude mit jedem, der bereit war, sie zu empfangen.

Mit der Zeit rief die frohgemute Einstellung jener betagten Aufzugführerin Respekt, Bewunderung und auch ein wenig Neid in mir hervor. Eines Tages fragte ich sie, wie es ihr gelinge, stets eine solche Zuversicht zu bewahren – und erhielt die Antwort, ihre Freude und Stärke kämen vom Herrn. Sie wusste, dass sie nur eines beeinflussen konnte, nämlich ihre Reaktion auf das Leben, und so hatte sie beschlossen, mit Liebe zu reagieren.

An ihre Bemerkung wurde ich viele Jahre später erinnert, als ich eine der OP-Schwestern im Krankenhaus in Wyoming (wo ich zu jener Zeit praktizierte) fragte, wie sie bloß für ihre direkte Vorgesetzte und den Verwaltungschef arbeiten könne, die doch den OP-Schwestern das Leben ziemlich schwer machten. Sie schaute mich an und sagte: »Ich arbeite nicht für die beiden.«

Als ich nachhakte, erwiderte sie: »Ich arbeite weder für sie (die Chefärztin im Operationssaal) noch für ihn (den Verwaltungschef des Krankenhauses). Ich arbeite für Gott.«

Dem ist nichts hinzuzufügen.

7

Gott schreit, wenn es nötig ist

Entweder sind wir im Begriff,
uns Gottes Wahrheit zu widersetzen,
oder im Begriff, durch seine Wahrheit
geformt und geprägt zu werden.

Charles Stanley

Im Sommer 1991 war ich neununddreißig Jahre alt, hatte einen Ehemann, einen Sohn namens Willie und stand kurz vor der Geburt unseres zweiten Sohnes, Eliot. Ich hatte zwölf Jahre Highschool absolviert, vier Jahre College, vier Jahre Medizinstudium, eineinhalb Jahre Ausbildung in allgemeiner Chirurgie, fünf Jahre Ausbildung in orthopädischer Chirurgie sowie eineinhalb Jahre Spezialausbildung in Unfall- und Wirbelsäulenchirurgie. Mental, emotional und professionell – ja auf jeder Ebene – war ich mehr als bereit, mein »wahres« Leben zu beginnen. Im Rahmen unserer schnell anwachsenden Familie hatte ich das Gefühl, meine eigenen Ziele setzen und über meine Zukunft selbst bestimmen zu können. Ich akzeptierte den Posten als Leiterin der Abteilung für Wirbelsäulenchirurgie an der University of Southern California, da ich die Lehre ebenso schätzte wie die Vielfalt der chirurgischen Fälle, die im universitären Bereich gang und gäbe sind.

Die Atmosphäre dort war aufregend, stimulierend und wohltuend für das Ego. Meine Stelle gewährte mir über mehrere Jahre ein hohes Maß an Befriedigung, und mein Leben schien auf vernünftige Weise ausgeglichen. Mit Hilfe von Dawn, unseres entzückenden, mit im Haus wohnenden Kindermädchens, die sich tagsüber um die Kleinen kümmerte, konnten Bill und ich unter der Woche ungehindert unseren Berufen nachgehen. An den Abenden und Wochenenden widmeten wir uns ausschließlich den Kindern und genossen jede Minute mit ihnen. Da wir am Meer wohnten, nahmen wir sie oft mit zum Strand oder zum Segeln. Wir grillten am Strand, besuchten Museen und brachten ihnen das Fahrradfahren bei. Bills Eltern, die in der Nähe wohnten, kamen regelmäßig vorbei, und die Kinder liebten sie. Übers Wochenende reisten wir oft mehrere Stunden zu unserer Blockhütte in den Bergen nördlich von Los Angeles. Dort fuhren wir Kajak, bauten Forts mit den Kindern, gingen schwimmen und entspannten uns einfach. Ich würde sagen, dass sie mit der Art und Weise, wie unser Familienleben sich entwickelte, überaus zufrieden waren.

In beruflicher Hinsicht war ich aufgefordert, zu unterrichten, meine praktischen Kenntnisse zu vertiefen, Forschung zu betreiben, wissenschaftliche Aufsätze zu veröffentlichen, an Sitzungen teilzunehmen und jeden Tag über zwei Stunden zwischen Wohnort und Universität zu pendeln. Mit den Jahren verlangten mir all diese Aufgaben einen immer höheren Tribut ab. Anstatt meine beste Zeit und Kraft dafür einzusetzen, meine Beziehung zu Gott sowie meine Ehe zu pflegen und meine Kinder noch intensiver zu fördern, überkam mich das Gefühl, dass die Arbeit den größten Teil meines Lebens beanspruchte.

Die Kinder entwickelten sich immer mehr zu den Menschen, die sie künftig sein würden, und ich wollte diesen Prozess nicht bloß aus der Ferne beobachten. Meine tägliche Pendlerfahrt ins Zentrum von Los Angeles hatte auch zur Folge, dass ich selten – und niemals kurzfristig – an ihren schulischen Aktivitäten teilnehmen konnte. Zugleich blieb mir kaum Zeit und Kraft, über die Rolle nachzudenken, die

Gott in meinem Leben spielte, oder darüber, inwieweit es seinem Plan entsprach. Zwar hatte ich mich verpflichtet, Gott in meinem Denken, Fühlen und Tun einen Platz in der ersten Reihe einzuräumen, aber offenbar wurde ich diesem Anspruch nicht wirklich gerecht.

Meines Erachtens ist das eine Tatsache, vor der heute viele junge Leute und zumal junge Familien stehen. Mein Pastor hatte einmal geschrieben, und ich zitiere ihn hier frei: »Ständig werden wir bombardiert von anderen, die ein Stück von uns haben wollen – unsere Zeit, unsere Talente und Kräfte. Manchmal haben wir diese Forderungen einfach satt und empfinden dann Gottes Ruf nur als eine zusätzliche Belastung, wo wir uns doch bereits völlig überlastet fühlen.«

Ein weiteres Problem – zahlreiche Frauen werden es bestätigen – ist das der berufstätigen Mütter. Heute wird ihnen mitgeteilt, dass sie alles schaffen und zugleich wunderbare Ehefrauen, großartige Mütter und fabelhafte Menschen sein können. Sie haben sich eingeredet, dass sie »Superfrauen« sein können und sein sollen, und genau so müssten sie auch tatsächlich sein, um jede Aufgabe zu meistern.

Doch die Wirklichkeit besteht immer aus Kompromissen. Ein Tag hat nur vierundzwanzig Stunden, und die Frau muss zwischen beruflichen Pflichten, familiären Bedürfnissen und persönlichen Wünschen Prioritäten setzen, um herauszufinden, wo und wie sie Opfer bringt. Diese Wahl zu treffen ist schwierig, da sich das Gleichgewicht ständig verschiebt, während man von der einen Lebensphase in die andere übergeht. Ich denke, es ist ebenso wesentlich wie heilsam, solche Gewichtungen von Zeit zu Zeit zu überprüfen und nötigenfalls Änderungen vorzunehmen.

Im Frühjahr 1993, nach der Geburt unseres dritten Kindes Betsy, begann ich über den weiteren Verlauf meines Lebens nachzudenken. (Was sonst kann man in den langen Stunden des nächtlichen Stillens tun?) Bei meinen früheren Erfahrungen – dem Autounfall, den ich als Teenager überlebt hatte, meinem Dienst in der mexikanischen Krankenstation, dem Tauchgang in den Florida Springs, wo ich fast ertrunken wäre, und bei anderen Ereignissen – sah ich deutlich Gottes Fingerabdrücke und Einflussnahme. So beschäftigte mich erneut die Frage, ob ich tatsächlich in Einklang war mit Gottes Plan. Zwar gingen wir zur United Methodist Church, angezogen von dem dort nachdrücklich verkündeten Bekenntnis zu Menschenrechten, Gerechtigkeit, Umweltschutz und Frieden in der Welt, aber das schien mir nicht zu genügen. Das geistig-seelische Wohlergehen meiner Kinder hatte für mich obersten Vorrang, und deshalb sollten sie nicht nur Gottesdienste besuchen, sondern auch eine persönliche Verbindung zu einem lebendigen Gott eingehen und diese tagtäglich erfahren.

Mir wurde bewusst, dass mein Leben allmählich aus dem Gleichgewicht geriet. Einerseits kam ich zu der Überzeugung, dass mir die akademische Tätigkeit nicht den Freiraum ließ, um die gewünschten Prioritäten zu setzen, andererseits machte mir die profane Atmosphäre in der Universität immer mehr zu schaffen. Ich wollte die verschiedenen Aspekte meines Lebens nicht nur aufeinander abstimmen, sondern harmonisch miteinander verbinden. Meine geistige Sehnsucht passte nicht zu dem Verlangen nach Ehre, Macht und/oder Geld, das die meisten Mitglieder der Fakultät zu haben schienen.

Doch obwohl ich mich zunehmend isoliert fühlte, fiel es mir schwer, meine Stelle aufzugeben. Ich wusste, was ich in diesem Umfeld erwarten konnte, war mir aber nicht sicher, ob die Situation anderswo besser wäre. Wie für viele Menschen ist auch für mich eine bekannte Situation, wie lästig sie sein mag, oft angenehmer und leichter zu akzeptieren als die Angst vor dem Unbekannten.

Im Rückblick kann ich erkennen, in welcher Weise und wie häufig Gott mich gerufen und aufgefordert hat, die Richtung meines Lebens zu ändern. Da ich nicht auf ihn hörte, musste er schreien.

Weitere Chirurgen kamen an unsere Fakultät, wodurch die Arbeitsatmosphäre für mich noch weniger vereinbar war mit der Vision, die ich von meinem Leben hatte. Im Jahre 1996 stellte der Dekan einen Chirurgen ein, der meiner Abteilung zugeordnet wurde. Ich äußerte Zweifel hinsichtlich seiner Qualifikationen, aber der Dekan ließ sich durch dessen gute Referenzen irreführen. Der neue Mann, der kurz vor der Pensionierung stand, hatte einen eindrucksvollen Lebenslauf, doch ich fand ihn träge und langweilig. Wir passten überhaupt nicht zusammen, und ich sah mich kaum in der Lage, die notwendige Arbeitszeit mit ihm zu verbringen.

Bald danach verbrachten wir unsere Familienferien im nördlichen Michigan. Bills Großvater war professioneller Cellist, der jeden Sommer an der Interlochen Arts Academy unterrichtete, und so hatten während dieser Zeit auch Bills Mutter, er selbst und seine Brüder die Annehmlichkeiten der dortigen Gegend genossen. Um diese Tradition fortzusetzen, reisten Bill und ich mit seinen Eltern und unseren Kindern nach Interlochen, wo wir uns köstlich amüsierten, im See schwammen, Heidelbeeren pflückten, die Sanddünen hinunterrollten und oft zusammen lachten.

Eines Nachmittags machten wir unterwegs Halt, um die neu eröffnete Traverse City Pie Company zu besichtigen. Ich hatte herausgefunden, dass die Besitzerin namens Denise eine meiner Freundinnen auf der Highschool gewesen war. Wir beide gehörten damals dem Schwimmteam an, und sie teilte den christlichen Glauben meiner Familie. Während Bill mit den Kindern zum kleinen Landhaus zurückfuhr, blieben

Denise und ich in der Sonne sitzen, um miteinander zu plaudern und Pastete zu essen. Wir schwelgten in Erinnerungen, erzählten uns Geschichten aus unserem Leben und redeten über viele Dinge, besonders über meine innige, auf der Highschool geknüpfte Verbindung zu Jesus Christus.

Nachdem Denise mich zurückgebracht hatte, sann ich über meinen liebevollen Ehemann nach, unsere prächtigen Kinder und über Peter, unser viertes Kind, das gerade in meinem Schoß Gestalt annahm. Ich dachte an mein Gespräch mit der Freundin und an meine brennende Sehnsucht, die verschiedenen Ebenen des Lebens wirklich in Einklang zu bringen. Offenbar hatte ich bisher viel über meine Spiritualität nachgegrübelt, über mein starkes Bedürfnis, Gott und die Familie ganz oben auf meine Prioritätenliste zu setzen, aber eher wenig dafür getan.

Dieser Teil der Geschichte kommt den meisten wahrscheinlich bekannt vor … Sie wissen, wovon ich spreche … Man denkt über einen bestimmten Aspekt nach, nimmt sich vor, ihn zu ändern, aber es funktioniert nicht, man versucht es erneut und scheitert abermals … So geht es immer weiter. Zu unser aller Glück ist Gott äußerst geduldig. Er hört nicht auf, uns zu rufen, ja schreit sogar, wenn es sein muss, und heißt uns dann stets willkommen, liebevoll, ohne zu urteilen.

Obwohl ich mich wie der verlorene Sohn fühlte, der um eine zusätzliche Chance bat, erneuerte ich in jenem Augenblick meine innere Verpflichtung, ein um Christus zentriertes Leben zu führen und den Erfordernissen meiner Familie Vorrang zu geben vor denen meines Berufes.

Ich hatte keine Ahnung, was dies für mich bedeutete, bis ich, nach Los Angeles zurückgekehrt, einer ungewöhnlich langweiligen Sitzung in meinem Fachbereich beiwohnte. Anstatt auf die monotone Tagesordnung zu achten, dachte ich über jedes anwesende Mitglied der Fakultät nach und vergegenwärtigte mir, was ich über sein Leben wusste. Im Gegensatz zum Dekan waren die meisten Männer geschieden, sie hatten Affären, tranken übermäßig viel, und ihre Kinder schlugen sich mit eigenen Problemen herum. Dann betrachtete ich mein Leben und gelangte zu dem Schluss, dass meine Zukunft nicht in dieser Atmosphäre stattfinden sollte.

Als ich an jenem Abend endgültig die Entscheidung traf, die Universität zu verlassen, ergriff mich ein Gefühl von Trauer und zugleich eine überschwängliche Freude. Ich wusste, dass mir der Abschied vom Dekan schwerfallen würde, weil ich großen Respekt vor ihm hatte, ihn sehr schätzte und daher nicht enttäuschen wollte. Doch die Vorstellung, von meinen beruflichen Zwängen frei zu sein, versetzte mich in Hochstimmung. Mit dem dringenden Wunsch, meine Stelle aufzugeben, rief ich am nächsten Morgen den Dekan an und fragte ihn, wie schnell ich von meinen Pflichten entbunden werden könne.

Ich verließ die Universität innerhalb eines Monats, schloss mich dem Orthopädenteam meines Mannes an und war Gott zutiefst dankbar, dass er mich anschrie, nachdem ich seine Rufe überhört hatte. Im Rückblick konnte ich die Reihe von Ereignissen und »Zufällen« erkennen, bei denen Gott mich immer eindringlicher gerufen und dadurch schließlich zu dieser Entscheidung gedrängt hatte.

8

Die Verbindungen lösen

Des Menschen Herz erdenkt sich seinen Weg;
aber der Herr allein lenkt seinen Schritt.

Die Sprüche Salomos 16,9

Obwohl Bill in Los Angeles aufgewachsen war, hatten wir nie wirklich geplant, in Südkalifornien zu bleiben. Wir lebten in dieser Stadt, um Bills Familie nah zu sein, aber seine Brüder waren unlängst in andere Bundesstaaten umgezogen, seine Eltern wollten sich zur Ruhe setzen und nach Norden gehen. Die Beendigung meines Arbeitsverhältnisses mit der Universität befreite nicht nur mich von der akademischen Medizin, sondern auch meine Familie von den Verbindungen, die uns in Los Angeles festhielten. Ich hatte meine persönlichen Prioritäten neu definiert, und so bot sich nun der Familie die Gelegenheit, das Gleiche zu tun. Bill und ich hegten den Wunsch, an einem beschaulicheren Ort zu wohnen, wo unsere Kinder ständig die Natur erfahren konnten, ohne dafür eine mehrstündige Fahrt in Kauf nehmen zu müssen.

Wir setzten uns hin und entwarfen ein Venn-Diagramm mit den Orten, die mir vorschwebten, und jenen Orten, die Bill bevorzugte.

Ein solches Diagramm besteht aus zwei sich überschneidenden Kreisen mit jeweils verschiedenen Elementen. Die Schnittmenge repräsentiert die gemeinsamen Eigenschaften beider Gruppen. Unser Venn-Diagramm sah in etwa folgendermaßen aus:

Bills Präferenzen   *Marys Präferenzen*

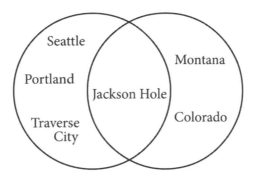

Unsere Familie liebte es, im Freien und körperlich aktiv zu sein – Radtouren zu unternehmen, zu segeln, zu zelten, Kajak oder Ski zu fahren und etliche andere Sportarten zu betreiben. Also suchten wir nach einem schön gelegenen Ort, der vielfältige Möglichkeiten für Freizeitaktivitäten bot, saubere Luft und eine gesunde Umgebung, in der wir unsere Kinder großziehen konnten. Beim Vergleich unserer Präferenzen stellten wir fest, dass sie nur in Jackson Hole, Wyoming, übereinstimmten. Das ist ein entzückendes, von hohen Granitbergen eingefasstes Tal mit herrlichen Flüssen, Seen, Wäldern und üppiger Tier- und Pflanzenwelt. Eine ländliche Gegend mit etwa 20 000 ständigen Bewohnern, wo erstklassige Voraussetzungen für Sommer- und Wintersport gegeben sind. Die Stadt selbst erschien uns sicher, die Gemeinde liebenswürdig genug, um dort unser Familienleben zu verbringen. Leider waren die beruflichen Perspektiven für zwei weitere orthopädische Chirurgen nicht sehr vielversprechend. Daher warfen wir erneut einen Blick auf unser Venn-Diagramm und beschlossen, vorerst in Los Angeles zu bleiben. Wie schon erwähnt, waren wir mit der Situation keineswegs unglücklich; außerdem hatte ich inzwischen gelernt, »loszulassen und

Gott machen zu lassen«. Ich war überzeugt, dass Gott uns zur rechten Zeit die Pläne offenbaren würde, die er für uns im Sinn hatte.

Einige Wochen nach dieser Entscheidung blätterte Bill gedankenverloren in einer medizinischen Zeitschrift und stieß auf ein Stellenangebot für Jackson Hole. Das örtliche Orthopädenteam suchte nach einem Chirurgen, spezialisiert auf Eingriffe an der Wirbelsäule. Bill zögerte ein bisschen, bevor er mir die Annonce zeigte, weil er das Gefühl hatte, dass ein derartiger Schritt unsere Zukunft verändern würde. Als ich die Beschreibung las, bewarb ich mich sofort um die Stelle, wurde zum Vorstellungsgespräch eingeladen und schließlich ins Ärzteteam aufgenommen. Weniger als vier Monate später fuhren wir mit zwei Autos, voll beladen mit Kindern, Booten und Katzen, Richtung Wyoming.

Sehr schnell verliebten wir uns in unsere neue Gemeinde. Die Leute waren dynamisch, freundlich und hilfsbereit, die Möglichkeiten zur Freizeitgestaltung breit gefächert. Wir stürzten uns kopfüber in dieses »andere« Leben und sahen mit großem Vergnügen zu, wie auch unsere Kinder von den vielfältigen Einrichtungen profitierten.

Kurz vor dem Umzug war Bill mit unserem ältesten Kind, dem neunjährigen Willie, zu einem Kajak-Camp in Kalifornien gefahren, wo sie sich mit dem Kursleiter Tom Long angefreundet hatten. Tom und seine Frau Debbi waren in Südkalifornien aufgewachsen, in den frühen 1970er-Jahren aber nach Boise in Idaho umgezogen. 1975 übernahmen sie die Cascade Raft and Kayak Company am Payette River. Als wir sie zum ersten Mal trafen, waren ihre drei Söhne eindrucksvolle Kanuten im Teenageralter, die auf internationaler Ebene große Erfolge errangen. Kenneth und Chad nahmen an C-2-Wettbewerben teil (Wildwasser- und Slalomrennen im

Zweierkanu mit geschlossenem Deck), während Tren sich im Einerkajak mit geschlossenem Deck hervortat. Damit die Jungs auch im Winter trainieren konnten, verbrachten die Longs diese Jahreszeit an Flüssen in Chile. Dort organisierten sie für amerikanische Kunden Ausflüge auf dem Wasser, um damit wenigstens teilweise ihren aufwendigen Lebensstil zu finanzieren.

Als sich unsere Beziehung zu den Longs vertiefte, sprachen Bill und ich des Öfteren darüber, sie nach Chile zu begleiten. Wir mochten diese Familie sehr und genossen in vollen Zügen die gemeinsamen Kajakfahrten auf dem Payette River. Im Sommer 1998 dachte ich, unsere Kinder seien groß genug und wir beide könnten auch ohne sie in die Ferne reisen. Also machte ich Bill zu seinem Geburtstag im darauf folgenden Januar das besondere Geschenk, mit ihm zusammen in Südamerika Kajak zu fahren.

9

Ein Abenteuer in Chile

Auch weiß der Mensch nicht,
wann seine Stunde kommen wird.

Der Prediger Salomo 9,12

Im Januar 1999 ließen Bill und ich unsere Kinder in der Obhut des Kindermädchens und flogen aus dem herrlichen Winter in Wyoming dem wunderbaren chilenischen Sommer entgegen. Seit Peters Geburt war das unsere erste Reise zu zweit, und wir freuten uns auf ein großartiges Abenteuer. Wir landeten in Temuco, das etwa sieben Stunden südlich von Santiago liegt und ungefähr eine Stunde nördlich von unserem Zielort Pucón.

Pucón ist ein Ferienort am Ufer des tiefen und schönen Lago Villarica, im Schatten des 2840 Meter hohen Vulkans Villarica. Er liegt inmitten der Region IX Araukanien, des Lake District. Das ganze Gebiet ist übersät mit Vulkanen, deren Gletscher die zahlreichen Flüsse mit klarem, frischem Wasser versorgen, aus dem die Seen entstanden sind.

Wir teilten ein gemietetes Haus mit der Familie Long, die damals aus Tom und Debbi bestand, Kenneth, ihrem zwanzigjährigen Sohn, und dessen Frau Anne, dem achtzehnjährigen Chad sowie dem sechzehnjährigen Tren.

Mit Tom verbrachten wir eine aufregende Woche, während der wir Kajak fuhren und im Wildwasser spielten. Bill und ich waren bereits erfahrene Kajakfahrer, aber wir arbeiteten weiter an unseren Eskimorollen, unseren Techniken in reißendem, steil abfallendem Wasser, und paddelten durch mehrere knifflige Stromschnellen in atemberaubender Landschaft. Außerdem übten wir unser Spanisch ein, nahmen die einheimische Kultur in uns auf, begeisterten uns für den See, die Stadt und die traumhafte Umgebung. Die Abende vergingen mit Gesprächen vor einem hoch auflodernden Feuer, nachdem wir zunächst in die Stadt geschlendert waren, um Eis zu essen. Der Aufenthalt war äußerst erholsam, und so stellten wir betrübt fest, dass das Ende unserer Reise rasch näher rückte.

Wir machten Pläne für unseren letzten Tag, an dem wir auf dem Fuy Kajak fahren wollten. Tom, Kenneth, Chad, Anne, ein junger Chilene, der in diesem Sommer für die Longs arbeitete, und erstmals auch einige Amerikaner waren mit von der Partie.

Der Fuy ist ein Fluss in der südchilenischen Region Los Ríos, der auf der Nordseite des Pirihueico-Sees entspringt, seine gewundene Bahn durch die Ausläufer des Vulkans Choshuenco zieht, um sich dann mit dem Neltume zu verbinden und den Llanquihue zu bilden, der schließlich in den Gletschersee Panguipulli mündet. Wie schon gesagt, Bill und ich sind erfahrene Kanuten, die in den Vereinigten Staaten etliche reißende Flüsse gemeistert haben. Wir freuten uns auf die Abfahrt vom oberen Teil des Fuy, der für seine tropische Schönheit ebenso bekannt ist wie für seine stattliche Reihe von Wasserfällen mit einer Höhe zwischen drei und sechs Metern, die ein aufregendes Abenteuer versprachen, das zu bewältigen wir jedoch durchaus in der Lage waren.

Zunächst fuhren wir zu dem Dorf Choshuenco (625 Einwohner) nahe dem Ufer des Panguipulli, dann weiter zu der Stelle am Fluss, wo man die Kajaks bestieg. Eine abgeschiedene, kaum bewohnte Gegend, dichter Wald, keinerlei Infrastruktur. Wenn man einmal auf dem Fluss war, gab es keine

Möglichkeit mehr, das Paddel ruhen zu lassen oder aus dem Wasser zu kommen. Nachdem Bill an jenem Morgen ziemlich unerwartet mit Rückenschmerzen aufgewacht war, beschloss er, auf die Kajakfahrt zu verzichten.

Obwohl es einer dieser typischen sonnigen und warmen chilenischen Tage war, hatte ich hinsichtlich des Ausflugs ein ungutes Gefühl. Da ich kein sehr geselliger Mensch bin, nahm ich an, mein unterschwelliges Unbehagen habe mit der Gruppe neuer Leute zu tun. Auch Anne fühlte sich – wie sie hinterher gestand – ziemlich unwohl, ohne genau zu wissen, warum. Vor Ort erklärte sie sich das so: Sie kannte den Fluss nicht wirklich, wir stiegen in die Boote später als geplant und waren in dieser Konstellation noch nie zusammen gefahren. Jedenfalls verspürte sie eine nicht näher bestimmbare innere Anspannung.

Bill setzte uns an der besagten Stelle ab, wo wir die anderen Amerikaner trafen, die scherzhafte Bemerkungen darüber machten, dass man mich leicht erkennen könne, weil ich anstatt der üblichen Paddeljacke in unauffälligerem Ton die leuchtend rote Trockenjacke meines Mannes trug. Die vor uns liegenden Wasserfälle riefen erwartungsgemäß eine gewisse Unruhe hervor angesichts möglicher »Bruchlandungen«, die einem das Rückgrat brechen konnten. Aber man befinde sich ja in guter Gesellschaft, hieß es, denn die Chirurgin sei sofort zur Stelle, um die Wirbelsäule wieder zusammenzuflicken. Als wir die Kajaks zu Wasser ließen, rief Chad meinem Mann zu: »Keine Sorge, wir bringen dir deine Frau heil zurück, und sie wird keinen Zentimeter kürzer sein.« (Damit meinte er humorvoll, dass meine Wirbelsäule durch keinerlei Sturz zusammengestaucht würde.) Kurz darauf fuhr Bill im Pick-up los, um ein sonniges Fleckchen zu suchen, wo er die Zeit mit Lesen verbringen würde. Am späteren Nachmittag wollte er uns bei der Anlegestelle abholen.

Als unsere Gruppe auf dem Fluss fuhr, schien zwischen den Kajakfahrern keine klare Ordnung zu bestehen, aber ich versuchte, jedem von ihnen so fern wie möglich zu bleiben. Da sie offenbar nur beschränkte Fähigkeiten und kein Gespür für Grenzen hatten, war ich zunehmend besorgt. Das verdrängte ich jedoch, denn das Wetter war schön, und die Wasserfälle vor uns versetzten mich in einen Zustand freudiger Erregung.

Schon bald näherten wir uns dem ersten höheren Gefälle und hielten an einer seichten Stelle inne, um zu besprechen, wie wir es angehen sollten. Auf der rechten Seite des Flusses war ein schmälerer Kanal und auf der linken ein breiterer Hauptkanal. Wir beschlossen, Ersteren zu benutzen, weil er keine Windungen aufwies und besser einzuschätzen war. Eine reißende Strömung schoss über das mittlere, extrem steile Gefälle, unterhalb dessen heftige Wirbel tobten.

Die erste Fahrerin steuerte den Kanal auf der rechten Seite an, näherte sich ihm aber zu sehr mit der Breitseite, sodass ihr Kajak zwischen zwei große Felsblöcke neben dem Gefälle geschleudert wurde. Obwohl dort zunächst eingeklemmt, konnte sie sich befreien und schließlich in den Bereich ruhigeren Gewässers hinabtreiben. Ich hatte bereits die seichte Stelle verlassen, konnte jedoch die Vorwärtsbewegung nicht stoppen, als ich auf ihren Kajak zufuhr, der die gewählte Route blockierte, und paddelte notgedrungen weiter nach links.

Als ich meinen Weg fortsetzte, schoss plötzlich jene Kajakerin, die hinter mir war und die ich zu meiden versucht hatte, an mir vorbei. Sie drehte sich um die eigene Achse und fuhr dann rückwärts über das zentrale Gefälle. Ich ahnte nicht, dass ihr Boot unterhalb davon zwischen Felsen steckenblieb. Wie ich später erfuhr, gelang es ihr, auszusteigen und zu einem Felsen im ruhigeren Gewässer zu schwimmen. Jedenfalls hatte ich in solch misslicher Lage nur wenige Optionen und paddelte einfach weiter. Sobald ich zum höchsten Punkt des Wasserfalls aufstieg, sah ich das Unheil kommen und wusste, dass ich ein Problem haben würde. Ein großes Problem.

Durch diesen Kanal flossen enorme Mengen Wasser, die das Wasser unten in eine chaotisch wilde Bewegung versetzten. Die aufgepeitschten Wellen erzeugten einen gewaltigen Sog, aus dem es keinen Ausweg gab. Ich holte tief Luft und stürzte den Wasserfall hinunter – und hinein in das, was ein großes Abenteuer werden sollte.

Trotz der Masse und der Wucht des herabschießenden Wassers bestand keine Hoffnung, dass es den Kajak der anderen Fahrerin wegspülen würde. So tauchte der meine unter den Rumpf und wurde zwischen ihm und den Felsen in der Tiefe eingekeilt. Sofort umschloss mich die reißende Flut. Ich saß aufrecht im Boot, konnte aber dem Wasserfall ebenso wenig entrinnen wie dem Kajak über mir. Ich kam mir vor wie eine Stoffpuppe. Mein Oberkörper wurde auf das Vorderdeck geschleudert, die Arme wurden hilflos flussabwärts gezogen.

Chad trieb den Hauptkanal entlang. Das Wasser dort war so tief, dass er beim Überqueren des Gefälles nichts sah und spürte und über die beiden Boote unter Wasser (also auch über mich) hinwegfuhr. Anne wiederum paddelte in den Kanal rechts, stieß gegen den feststeckenden Kajak, der sich durch den Aufprall löste, und erreichte ruhigeres Gewässer.

Unten angekommen, bemerkten Chad und Anne die erste Fahrerin, die im Wasser schwamm, und ihr Boot, das aus dem rechten Kanal trieb. Dann sahen sie überrascht eine zweite Schwimmerin – ihr Boot befand sich über dem meinen –, konnten dieses aber natürlich nicht sofort lokalisieren.

Rasch paddelte Chad zu einer seichten Stelle, um die Situation besser beurteilen zu können. Er erblickte also die erste Fahrerin, deren Kajak infolge des Zusammenstoßes mit

Annes Kajak fortgerissen worden war und nun am Ufer lag. Außerdem entdeckte er die zweite Fahrerin, die in der Mitte des Flusses auf einem Felsen saß, nicht aber ihr Boot. Erst bei genauerer Beobachtung erspähte er dessen rote Farbe unter der Wasseroberfläche des Hauptkanals.

Zu jenem Zeitpunkt war es für Anne und Chad schwer, den Verbleib jedes Teilnehmers zu klären, denn unsere Gruppe war geteilt. Einige befanden sich unterhalb des Gefälles, andere oberhalb. Es dauerte einige Minuten, in denen die Anwesenden mehrmals abgezählt wurden, bis Anne überzeugt war, dass sowohl ich als auch mein Boot fehlten. Mit Notfallsituationen vertraut, setzte sie ihre Stoppuhr in Gang.

10

Tod auf dem Fluss

> *Und ob ich schon wanderte im finstern Tal,*
> *fürchte ich kein Unglück;*
> *denn du bist bei mir,*
> *dein Stecken und Stab trösten mich.*
>
> Psalm 23,4

Im Wildwasser wird ein Kajakfahrer sowohl durch die Spritzdecke als auch die beengte Sitzposition im Boot festgehalten. Die Spritzdecke ist eine Neoprenhülle, die sich um die Hüfte schmiegt, über den Rand der Luke gezogen wird und verhindert, dass Wasser ins Innere dringt. Am vorderen Ende der Spritzdecke befindet sich die sogenannte »Griffschlaufe«. Wenn es notwendig ist, das Boot zu verlassen, kann man daran ziehen, um die Spritzdecke von der Luke zu lösen und sich dann mit den Beinen aus dem Boot zu stoßen.

Als mir klar wurde, dass ich unterhalb des Wasserfalls eingeklemmt war, geriet ich nicht in Panik und schlug auch nicht um mich, sondern bot alle meine Kräfte auf, um mit Hilfe der üblichen Techniken aus dem Boot zu kommen. Immer wieder versuchte ich mit aller Kraft, die Griffschlaufe zu erreichen, aber die Macht des Wassers, die meine Arme nach vorn riss, war zu groß und mein Ansinnen lächerlich. Ich versuchte, die Fußruder zu betätigen, das Boot zu schaukeln. Ich dachte an meine Familie und versuchte verzweifelt, den Kopf aus dem Wasser zu heben und nach Luft zu schnappen. Doch schnell kam mir die Einsicht, dass ich über mein Leben und meine Zukunft nicht mehr bestimmen konnte.

In der Vergangenheit hatte Gott mich mehr als einmal gerettet, also wandte ich mich auch jetzt an ihn und bat um seinen göttlichen Eingriff. Ich forderte nicht meine Rettung. Ich wusste, dass er mich liebte und einen Plan für mich hatte. Ich bat nur darum, dass sein Wille geschehe. In dem Augenblick, da ich ihn anrief, überkam mich ein Gefühl von absoluter Ruhe und Frieden sowie die sehr körperliche Empfindung, in jemandes Armen gehalten, gestreichelt und getröstet zu werden. Ich fühlte mich, wie sich ein Säugling fühlen muss, wenn er an der Brust seiner Mutter gewiegt und liebkost wird. Außerdem war ich mir völlig sicher, dass ungeachtet des Ausgangs alles in Ordnung sein würde.

Ich dachte an meinen Mann und meine Kinder, an die Longs und an mein Leben auf der Erde. Ich besann mich auf meine Beziehung zu Gott. Ich war dankbar, dass er mich hielt, und bewunderte die physische Intensität dieses Gefühls. Mühelos erinnerte ich mich an ein lange vergessenes Gedicht, das im Haus einer Kindheitsfreundin an der Wand gehangen hatte. Bei jedem meiner Besuche hatte ich es geistesabwesend gelesen. Nun aber verstand ich die Worte. Es handelte sich um das Gedicht *Footprints in the Sand* (Fußabdrücke im Sand) von Carolyn Joyce Carty. Mittlerweile habe ich mehrere Kopien davon gerahmt und an die Wände meines Hauses und meines Büros gehängt. Fast jeden Tag lese ich diese Verse.

Obwohl ich fühlte, dass Gott anwesend war und mich hielt, war ich mir meiner Umgebung und meiner Notlage vollauf bewusst. Ich konnte die Strömung spüren, die an meinem Körper zerrte, und den Druck des Wassers, der auf mir lastete. Ich konnte zwar nichts sehen und hören, bemerkte aber alles, was rings um mich und in mir geschah. Ich war zufrieden und ruhig und bestaunte Gottes Gegenwart.

Als ich mich nicht mehr bemühte zu atmen, glaubte ich zu sterben. Die Gedanken kehrten zu meinem Mann und meinen Kindern zurück, und während ich noch überlegte, wie sie ohne Ehefrau und Mutter zurechtkämen, wurde mir auf tiefgründige Weise versichert, dass sie auch nach meinem Tod stets wohlauf wären.

Unter Wasser ausharrend, betrachtete ich mein Leben und analysierte es – seinen Verlauf, meine Entscheidungen, die Freuden und die Gewissensbisse. Ich ließ sämtliche Stationen Revue passieren. Schließlich fiel mir auf, wie sehr ich mich langweilte. Es ermüdete mich, nachzudenken und abzuwarten. Ich war bereit, die Reise fortzusetzen, was immer das bedeuten mochte.

In der Gewissheit, dass ungeachtet des Ausgangs alles in Ordnung sei, wurde ich ungeduldig und drängte Gott: »Beeil dich!«

11

Meine Rettung

Bei den Menschen ist's unmöglich,
aber nicht bei Gott; denn
alle Dinge sind möglich bei Gott.

Markus 10,27

Während ich ein tiefes Wohlbehagen, geistigen Frieden, aber auch Langeweile verspürte, waren meine Kameraden alles andere als ruhig und gelassen. Als Chad feststellte, dass ich fehlte, suchte er verzweifelt nach meinem Kajak. Er stieg ans Ufer und eilte flussaufwärts. Tom, der im Boot auf dem Wasser schaukelte, sah seinen Sohn auf einen Felsen springen. Er rief nach ihm und erfuhr, dass ein Boot in der Tiefe feststecke und dass ich nicht aufgetaucht sei. Mit Nachdruck forderte er: »Jungs, ihr müsst sie finden!«

Als Chad den Felsvorsprung über dem Hauptkanal erreichte, glaubte er meinen roten Helm zu sehen. Er teilte es den anderen mit, und in kürzester Zeit standen Tom und Kenneth neben ihm, um die Lage zu beurteilen. Sie konnten meinen Helm erkennen, doch zwischen dem Felsvorsprung und mir lag eine knapp eineinhalb Meter tiefe und starke Strömung. Niemand konnte darin festen Halt finden, und die Kluft war zu groß, um sie in irgendeiner Weise zu überbrücken. Es handelte sich um ein klassisches Beispiel für den Satz: »So nah und doch so fern.«

Chad hielt Tom fest, als der versuchte, sich über den Abgrund zu beugen. Dann sprang Tom ins Wasser, um mein Boot zu packen. Es gelang ihm jedoch nur, unter den Rumpf gerissen und anschließend in ruhigeres Gewässer gespült zu werden.

Wieder und wieder scheiterten ihre Versuche, zu mir zu gelangen, und jedes Mal wurden die Schreie lauter, verstärkte sich das Gefühl von Entmutigung und Verzweiflung. Nichts schien zu funktionieren. Nach Toms Beschreibung war jeder in der Gruppe, einschließlich Chad und Kenneth, in einem Zustand »tragischen Entsetzens«.

Anne und die anderen Kajakfahrer saßen im Becken unten, verzehrt von einem Gefühl völliger Hilflosigkeit und zunehmender Hoffnungslosigkeit. Die Longs sind ziemlich versiert, was die Rettung im Wildwasser betrifft, aber dieser Fall lag anders. Nicht nur war ich, ihre Freundin, in höchster Gefahr, sie erzielten auch keine nennenswerten Fortschritte, um mich zu befreien. Die Zeit schien sich zu krümmen und schließlich stillzustehen.

Als Tom nach einem weiteren missglückten Rettungsversuch auftauchte, hörte er Chad schreien: »Beil dich, beeil dich!« Inzwischen waren einige Minuten vergangen, und sie alle wussten, dass jede Sekunde zählte. Ihr unablässiges Bemühen zielte schon bald eher darauf ab, meinen Körper zu bergen, als mich zu retten. Die Jungs dachten fieberhaft über eine wirksame Methode nach und erwogen sogar, das Wasser umzuleiten und so an das Boot zu kommen. Tom, der totalen Verzweiflung nah, kletterte abermals auf den Felsen. Plötzlich spürte er, dass die Szenerie sich grundlegend änderte … als wäre ein Lichtschalter betätigt worden.

Etwa fünf Minuten lang hatte er das Gefühl gehabt, die Aktionen eines Mannes vom Rettungsdienst nachzuahmen, nun aber schien alles anders. Er merkte, wie die Atmosphäre umschlug, und nahm die physische Nähe Gottes wahr. Er hörte ganz deutlich, wie Gott zu ihnen sagte: »Ihr seid erbärmlich. Keine eurer Maßnahmen wird funktionieren, also sollte ich eingreifen.« Tom hatte den Eindruck, dass die Zeit in der Schwebe verharrte und dass Gott die Kontrolle übernahm. Um dieses Phänomen Chad begreiflich zu machen, sagte er: »Da muss etwas Übernatürliches geschehen.« Chad dachte, sein Vater spreche davon, dass übernatürliche Anstrengungen unternommen werden mussten, weshalb er ihm versicherte, sein Bestes zu geben.

Doch Tom erwiderte: »Nein, das meine ich nicht, sondern: Da muss wirklich eine übernatürliche Kraft am Werk sein.«

Außerordentliche Dinge begannen zu geschehen.

Sie schauten nach unten, und plötzlich erschien inmitten der Strömung ein trockener Felsen, der zwischen ihnen und mir eine Verbindung herstellte. Auf diesen Felsen konnten sie treten und ihn als Plattform benutzen, von der aus sie mein Boot erreichten. Mit gespreizten Beinen auf festem Untergrund stehend, konnte Chad es ergreifen und daran ziehen. Er war jung, kräftig, ein mit höchsten Preisen ausgezeichneter Athlet, und so deutete alles auf Erfolg hin. Er dachte sich: *In diesem Moment wird mir eine übermenschliche Kraft zuteil, wie jener Frau, die plötzlich den Wagen von ihrem Kind hochheben konnte.*

Mit aller Macht und der unerschütterlichen Überzeugung, dass ihm der Erfolg sicher sei, zog er am Boot. Nichts geschah. Er hatte keinen Zweifel: Wenn etwas klappen kann, dann klappt es jetzt. Dem war aber nicht so. Chad fühlte sich völlig unzulänglich und glaubte, er und die anderen hätten mich im Stich gelassen. Später berichtete Kenneth, sie hätten auch danach mehrmals versucht, das Boot zu bewegen, doch es steckte wirklich fest.

Die Erkenntnis, dass sie nichts ausrichten konnten, stürzte Tom, Chad und Kenneth in totale Hilflosigkeit. Jeder wusste, dass allein Gottes Eingriff einen Unterschied bewirken würde, und als sie erneut mein Boot anpackten, spürte Tom, wie er sagte, »einen Schall, aber ohne Geräusch«. Mein Boot bewegte sich ein wenig, und schon war Chad im Wasser.

Während dieses »Schalls« verschob sich mein Boot, wodurch mein Körper mehr in der Strömung lag. Deren Wucht riss mir Schwimmweste und Helm weg, zog mich aus dem Kajak und den Fluss hinunter.

Niemand sah, wie ich aus dem Boot geschleudert wurde, doch Chad erspähte etwas Rotes, das flussabwärts trieb. Er hielt es für meine Schwimmweste und dachte traurig, er sollte sie für meine Familie bergen. Also tauchte er unter und ergriff die Schwimmweste, als sie an die Oberfläche schwappte. Die leere Schwimmweste in der Hand, spürte er, wie mein Körper gegen seine Beine schlug. Er hatte nicht einmal geahnt, dass ich da war, griff ins Wasser, packte mich am Handgelenk und ließ es nicht mehr los.

Anne, die nach wie vor in ihrem Boot saß, paddelte in seine Richtung, um ihm zu helfen, meinen violetten, aufgeblähten, nach Sauerstoff lechzenden Körper ans Ufer zu bringen. Meine Augen waren ohne Lebensfunken.

Die Longs geben Kurse für Rettungsschwimmer im Wildwasser, also sind sie oft die Ersten, die bei Unfällen am Payette River herbeigerufen werden. Mein toter Körper wäre nicht der erste gewesen, den sie aus einem Fluss geborgen hätten, aber Chad war am Boden zerstört. Später nannte er mir den Grund dafür – er habe »einen Menschen sterben sehen, den er liebte« und geglaubt, sie hätten mich völlig im Stich gelassen. Tom wiederum erzählte, die Atmosphäre sei »schrecklich« gewesen, »wie bei einem furchtbaren Autounfall«.

Sie zogen meinen Körper aufs steinige Ufer, wo Tom, Chad und Kenneth ihn untersuchten und systematisch die üblichen Maßnahmen zur Wiederbelebung durchführten. Fast vierzehn Minuten waren vergangen, seit Anne ihre Stoppuhr in

Gang gesetzt hatte, und die Aussichten düster, als die Reanimation begann. Die Anspannung stieg noch, weil eine Frau darauf bestand, man solle derlei unterlassen, und sagte: »Sie ist dann nur noch ein Gemüse«, während ihre Kameradin das Ereignis mit der Videokamera filmen wollte.

Ein Grundsatz bei Wiederbelebungsversuchen lautet, dass man sich von der verunglückten Person emotional lösen und sich ausschließlich auf das vorgeschriebene Prozedere konzentrieren soll, bis sie entweder für lebendig oder tot erklärt wird.

Entgegen ihrer Lehre und Erfahrung konnten Tom, Kenneth und Chad zu keinem Zeitpunkt die Tatsache vergessen, dass ich, ihre Freundin, diejenige war, die wiederbelebt wurde. Als sie die einzelnen Schritte vollzogen, beteten sie ständig für meine Rückkehr und riefen mir immer wieder zu: »Mary, du kannst uns nicht verlassen. Wir wissen, dass du da bist. Komm zurück. Bitte mach einen Atemzug.« Sie hatten das Gefühl, die Zeit wäre stehen geblieben.

Als ich endlich einen sehr tiefen, keuchenden Atemzug machte, waren sie nicht sicher, ob er ein Zeichen der Genesung oder des Todeskampfes war. Da auf diesen Atemzug nicht unmittelbar ein zweiter folgte, sprachen sie erneut laut mit mir und baten mich flehentlich, Luft zu holen. Ich reagierte auf diese Zurufe mit einem weiteren mühsamen Atemzug und hielt dann inne. Sie redeten mir noch einmal gut zu, und ich belohnte sie abermals mit einem keuchenden Atemzug. Dieses Muster wiederholte sich mehrfach.

Jedes Mal, wenn ich einen Atemzug tat, stiegen ihre Gefühle auf zu »totaler Helligkeit«. Jedes Mal, wenn ich innehielt, sanken sie hinab in »totale Dunkelheit«. Jeder neue Atemzug stellte ihr normales Zeitgefühl wieder her. Jeder ausbleibende Atemzug brachte die Zeit zum Stillstand.

Zwischen diesen unregelmäßigen Atemzügen stieß ich manchmal einen unheimlichen, seltsam klagenden Schrei aus. Sie hatten den Eindruck, dass ich mich weiterhin eingeschlossen fühlte, und das zerriss ihnen das Herz. Also fuhren sie fort, mich anzuflehen und zu beten. Nach einigen Minuten, die ihnen wie die Ewigkeit vorkamen, begann ich regelmäßiger zu atmen, und die Zeit verging wieder normal.

12

Heimkehr

Denn ich bin gewiss, dass weder Tod noch Leben,
weder Engel noch Fürstentümer noch Gewalten,
weder Gegenwärtiges noch Zukünftiges,
weder Hohes noch Tiefes
noch keine andere Kreatur
kann uns scheiden von der Liebe Gottes.

Römer 8,38-39

Die Strömung war stark und zog mir Helm und Schwimmweste weg, ehe sie nach meinem Körper zu greifen begann. Ich saß weiterhin im Boot, die Beine ausgestreckt unter dem Vorderdeck. Von der Taille aufwärts wurde ich durch die Gewalt des Wassers auf das Vorderdeck gedrückt, wo auch die Arme lagen. Während die Strömung mich aus dem Boot zu zerren versuchte, verharrte ich also in gekrümmter Haltung, was für meine Hüften, die es gewohnt sind, sich in diese Richtung zu bewegen, kein Problem war. Aber die Knie mussten sich nach innen drehen und gegeneinanderpressen, um meinen Körper zu befreien.

Dieser Prozess, bei dem ich hellwach und der mir völlig bewusst war, ging relativ langsam vonstatten. Es mag makaber klingen, aber aus der Perspektive einer Orthopädin war ich regelrecht fasziniert, zu spüren, wie die Knochen im Knie brachen und die Bänder rissen. Ich versuchte, meine Empfindungen zu analysieren und genau herauszufinden, welche Teile des Bewegungsapparats betroffen waren. Offenbar fühlte ich keinen Schmerz, fragte mich aber, ob ich schrie, ohne es zu merken. Schnell überprüfte ich meine Reaktionen und kam zu dem Schluss: Nein, ich schrie nicht und verspürte wirklich keinerlei Schmerz. Seltsamerweise befand ich mich in einem glückseligen Zustand. Das ist eine bemerkenswerte Aussage, zumal angesichts der Tatsache, dass ich immer schreckliche Angst vor dem Ertrinken hatte.

Während mein Körper immer weiter aus dem Boot gezogen wurde, war mir, als würde sich meine Seele allmählich vom Körper lösen. Schließlich kam er frei, und die Strömung riss ihn mit sich fort. Das war die letzte Empfindung, die ich in Bezug auf meinen Körper hatte. Ich erinnere mich nicht daran, über den Grund des Flusses zu schrammen, gegen Chad zu stoßen oder ans Ufer gezogen zu werden.

In dem Augenblick, da der Körper hin und her gewirbelt wurde, spürte ich einen »Ruck«. Es schien, als hätte ich endlich meine schwere äußere Schicht abgeschüttelt und meine Seele befreit. Ich erhob mich, durchdrang die Wasseroberfläche, stieg aus dem Fluss. Sogleich begegnete ich einer Gruppe von fünfzehn bis zwanzig Seelen (menschliche Geistwesen, von Gott gesandt), die mich mit solch überschwänglicher Freude begrüßten, wie ich sie noch nie erlebt hatte und mir nie hätte vorstellen können. Es war eine pure Freude auf tiefster Ebene.

Die Seelen bildeten eine Art Empfangskomitee – oder eine große *Wolke von Zeugen*, die in Hebräer 12,1 beschrieben wird: »Darum auch wir, weil wir eine solche Wolke von Zeugen um uns haben, lasset uns ablegen alles, was uns beschwert … und lasset uns laufen mit Geduld in dem Kampf, der uns verordnet ist …« Das Empfangskomitee schien mich stürmisch anzufeuern, während ich mich der »Ziellinie« näherte.

Obwohl ich nicht alle geistigen Wesen beim Namen nennen konnte (wie zum Beispiel Paul, meinen toten Großvater,

Mrs. Sivits, meine alte Babysitterin, Steven, meinen früheren Nachbarn, oder einige andere Personen aus der Vergangenheit), kannte ich doch jedes von ihnen gut, gewiss, dass sie von Gott kamen und mir schon seit Ewigkeiten vertraut waren. Ich gehörte zu ihnen und wusste, dass sie gesandt wurden, um mich durch die Zeiten und Dimensionen zu führen, die unsere Welt von Gottes Welt trennen. Außerdem war mir insgeheim bewusst, dass ihre Aufgabe nicht nur darin bestand, mich zu begrüßen und zu leiten, sondern mir auf meiner Reise beizustehen.

Sie erschienen als gestaltete Formen, aber nicht mit den deutlichen Umrissen unserer irdischen Körper. Ihre Umrisse waren verwischt, da jedes Geistwesen einen strahlenden Glanz verbreitete. Ihre Gegenwart erfüllte all meine Sinne, so als könnte ich sie alle gleichzeitig sehen, hören, riechen, schmecken und fühlen. Ihr Gleißen blendete mich, verlieh mir gleichzeitig aber auch Kraft. Wir redeten nicht mit unseren Mündern, sondern kommunizierten auf eine ganz ursprüngliche Weise, indem wir uns simultan Gedanken und Gefühle übermittelten und uns auch ohne Sprache vollkommen verstanden.

Gottes Wort ist sicherlich nicht auf eine einzige Sprache beschränkt, und so wurde mir eine neue Einsicht bezüglich der biblischen Beschreibung des Pfingstwunders zuteil. In der Apostelgeschichte 2,5-6 heißt es nämlich: »Es waren aber Juden zu Jerusalem wohnend, die waren gottesfürchtige Männer aus allerlei Volk, das unter dem Himmel ist. Da nun diese Stimme geschah, kam die Menge zusammen und wurde bestürzt; denn ein jeder hörte sie in seiner eigenen Sprache sprechen.«

Jetzt begreife ich, wie dies geschehen konnte. Gott braucht keine verbale Sprache, um mit uns zu kommunizieren.

Meine Ankunft wurde fröhlich gefeiert, und während diese Geistwesen und ich uns begrüßten, umarmten und tanzten, herrschte ein Gefühl absoluter Liebe vor. Intensität, Tiefe und Reinheit dieser Wahrnehmungen und Empfindungen waren viel ausgeprägter, als ich es jemals mit Worten ausdrücken könnte – und als alles, was ich auf der Erde bisher erlebt habe.

Verstehen Sie mich nicht falsch ... Ich bin in meinem Leben über die Maßen gesegnet worden und habe große Liebe und Freude erfahren. Ich liebe meinen Mann genauso innig wie jedes meiner Kinder, und diese Liebe wird erwidert. Nur ist Gottes Welt unendlich viel farbiger und beeindruckender. Es war, als würde ich eine Explosion der Liebe und der Freude in völlig reiner Form erleben. Um den Unterschied zu verdeutlichen, fällt mir unter den irdischen Dingen nur das Fernsehen ein. Vergleicht man das alte, mit einer Kathodenstrahlröhre ausgestattete Gerät mit dem neuen in HD-Qualität, so sind hier die Bilder auf fast schmerzliche Weise schärfer, klarer und leuchtender. Das Gleiche trifft auf jene Bilder zu, die ich im Beisein der Geistwesen wahrnahm.

Trotzdem kann ich nicht angemessen beschreiben, was ich sah und fühlte. Wenn ich heute den Versuch unternehme, über meine Erlebnisse zu berichten, wirkt die Schilderung äußerst blass – als würde ich in der dreidimensionalen Welt eine Erfahrung in der vierten Dimension erklären wollen. In unserer gegenwärtigen Sprache gibt es dafür keine geeigneten Begriffe und Formulierungen. Als ich später die Berichte von anderen Leuten über Nahtoderfahrungen und ihre Darstellungen des Himmels las, entdeckte ich darin ähnliche Begrenzungen hinsichtlich des Vokabulars wie in meinen Ausführungen.

In seinem Buch *Fast Lane to Heaven* (Schnellstraße zum Himmel) schreibt Ned Dougherty über die eigene Nahtoderfahrung: »Plötzlich wurde ich von diesem glänzenden goldenen Licht umhüllt. Es war glänzender als das Licht der Sonne, ja um ein Vielfaches stärker und strahlender als die Sonne selbst. Dennoch blendete oder verbrannte es mich nicht. Stattdessen war das Licht eine Energiequelle, die mein Wesen umströmte.«

Wahrscheinlich erscheint seine Beschreibung ebenso wie die meine jedem Menschen, der diese Art von Erfahrung nicht gemacht hat, einfach unsinnig, aber sie kommt jener wundersamen Wirklichkeit ziemlich nah.

Selbst die Schriftsteller der Bibel hatten Mühe, ihre Begegnung mit Gottes Engel in Worte zu fassen. Matthäus schilderte sie folgendermaßen: »Und seine Erscheinung war wie der Blitz und sein Kleid weiß wie Schnee« (Matthäus 28,3).

Daniel wiederum notierte: »Und am vierundzwanzigsten Tage des ersten Monats war ich an dem großen Strom Tigris und hob meine Augen auf und sah, und siehe, da stand ein Mann, der hatte leinene Kleider an und einen goldenen Gürtel um seine Lenden. Sein Leib war wie ein Türkis, sein Antlitz sah aus wie ein Blitz, seine Augen wie feurige Fackeln, seine Arme und Füße wie helles, glattes Kupfer, und seine Rede war wie ein großes Brausen« (Daniel 10,4-6).

Meine Gefährten und ich waren im Begriff, einen Weg entlangzugleiten, wohlwissend, dass er heimwärts führen würde – in das ewige Zuhause. Wir kehrten zurück zu Gott und waren sehr aufgeregt. Die anderen konnten ihre grenzenlose Begeisterung kaum für sich behalten, erpicht darauf, meine Rückkehr anzukündigen und dieses Ereignis mit sämtlichen Bewohnern des Himmels zu feiern.

Während ich die Schönheit ringsum in mich einsog und mit meinen Gefährten die Freude auskostete, spähte ich zurück auf die Szene am Flussufer. Mein Körper sah aus wie die

Hülle einer zufriedenen alten Freundin, der gegenüber ich tiefes Mitgefühl empfand – und Dankbarkeit dafür, dass ich sie hatte benutzen dürfen.

Ich betrachtete Tom und seine Söhne, die furchtbar traurig und verletzlich wirkten. Ich hörte, wie sie mich riefen und anflehten, einen Atemzug zu machen. Ich liebte sie und ertrug es nicht, sie in solcher Verzweiflung zu sehen. Also bat ich meine himmlischen Gefährten, ein wenig zu warten, derweil ich in meinen Körper zurückkehrte, mich hinlegte und einen Atemzug tat. Im Glauben, dass dies genüge, verließ ich den Körper wieder und setzte meine Heimreise fort.

Wir schwebten einen Weg entlang, der zu einer großartigen, lichtdurchfluteten Halle führte, weiträumiger und prächtiger als alles, was ich mir auf der Erde vorstellen kann. Ihr Glanz erstrahlte in allen Farben von unfassbarer Schönheit. Wenn Menschen über ihre Nahtoderfahrungen berichten, »das weiße Licht zu sehen« oder »dem weißen Licht zuzustreben«, meinen sie damit wohl ihre Annäherung an den Glanz dieser Halle. Unser Vokabular reicht einfach nicht aus, um solch eine Erfahrung auf verständliche Weise zu beschreiben. Vielleicht sprach Jesus deshalb oft in Gleichnissen.

Ich spürte, wie meine Seele zum Eingang gezogen wurde, nahm den strahlenden Glanz in mich auf und fühlte jene reine, vollkommene und unbedingte Liebe, die von der Halle ausströmte. Das war die verlockendste und herrlichste Erfahrung, die ich je gemacht habe.

Für mich bestand keinerlei Zweifel daran, dass dieser Eingang gleichsam die letzte Abzweigung des Lebens darstellte, das Tor, das jeder Mensch passieren muss. Offensichtlich war die Halle der Ort, wo jedem von uns die Möglichkeit gegeben wird, das eigene Leben und die getroffenen Entscheidungen noch einmal in Betracht zu ziehen, wo wir alle die letzte Chance erhalten, entweder Gott zu wählen oder uns für immer von ihm abzuwenden. Ich war bereit, die Halle zu betreten, erfüllt von der brennenden Sehnsucht, mit Gott wieder vereint zu werden.

Davon hielt mich jedoch ein beachtliches Hindernis ab: Tom Long und seine Söhne gaben mir immer wieder Zeichen. Jedes Mal, wenn sie mich baten, zurückzukommen und einen Atemzug zu machen, fühlte ich mich gezwungen, genau das zu tun, ehe ich mich dann erneut meiner Reise widmete. Ihr wiederholtes Rufen ermüdete, ja irritierte mich ziemlich. Ich wusste zwar, dass sie nicht begriffen, was da gerade geschah, war aber verstimmt, weil sie mich nicht loslassen wollten. Mein Unmut ähnelte dem einer Mutter, deren kleines Kind vor dem Schlafengehen ständig nach etwas anderem verlangt: eine weitere Gutenachtgeschichte, ein Glas Wasser, noch einen Kuss, das Licht soll unbedingt ein- oder ausgeschaltet, das Deckbett erneut aufgeschüttelt werden …

Wir erreichten den Eingang der Halle, und ich sah die vielen Geistwesen im Innern, die geschäftig hin und her eilten. Als wir uns näherten, wandten sie sich uns zu und übermittelten uns ihr tiefes Mitgefühl, ihre große Liebe.

Doch bevor wir hineingehen konnten, überkam meine geistigen Gefährten urplötzlich ein Gefühl von Trauer und Schmerz, und die Atmosphäre wurde bedrückend. Sie erklärten mir, dass für mich der Moment noch nicht gekommen sei, die Halle zu betreten; ich hätte meine Reise auf Erden noch nicht beendet, müsse weitere Aufgaben erledigen und daher in meinen Körper zurückkehren.

Ich protestierte, aber sie nannten mehrere Gründe, die für meine Rückkehr sprachen, und fügten hinzu, ich würde bald weitere Informationen erhalten.

Wir teilten unsere Trauer, als sie mich zum Flussufer zurückbrachten. Ich nahm Platz in meinem Körper und warf

diesen himmlischen Wesen, diesen Menschen, die herbeige-
kommen waren, um mich zu führen, zu beschützen und anzufeuern, einen letzten sehnsüchtigen Blick zu, ehe ich mich
ausstreckte und mit meiner Hülle wieder vereint wurde.

13

Die Engel am Fluss

Wer nicht an Wunder glaubt,
ist kein Realist.

David Ben-Gurion

Ich wurde mir meines Körpers bewusst und öffnete die Augen, um in die Gesichter der Longs über mir zu sehen, deren Blicke auf mich gerichtet waren. Sie schienen erleichtert und zugleich aufgeregt, als Tom und Kenneth den anderen mitteilten, was für mich zu tun sei. Die Oberseite eines Kajaks sollte mir als Trage dienen, und so wurde ich vorsichtig darauf gelegt und befestigt. Das felsige Flussufer grenzte an einen äußerst dichten Bambuswald. Der Abhang war steil und schien unüberwindlich.

Noch während die Longs verschiedene Optionen in Erwägung zogen, tauchten aus dem Nirgendwo drei junge Chilenen auf. Zwei von ihnen halfen, die Bahre hochzuheben und zu tragen, der andere übernahm die Führung und bahnte einen Weg durch den Bambuswald. Kein Wort wurde zu ihnen oder von ihnen gesprochen; sie wussten einfach, was zu tun war. Wir kamen nur mühsam voran, und ich verlor immer wieder das Bewusstsein. Da Kenneth stets über die typischen Eigenschaften eines ältesten Sohnes verfügt hatte, war es sein Elan, der alle antrieb. Ungeachtet ihrer zunehmenden Erschöpfung legte keiner eine Pause ein, wenn er es nicht tat.

Während meines manchmal wachen Bewusstseinszustands brüllte ich den anderen Anweisungen zu, mir Steroide zu geben. Ich wusste, dass ich die Beine nicht bewegen konnte, und nahm in meiner Eigenschaft als orthopädische Chirurgin an, mir die Wirbelsäule gebrochen und das Rückenmark verletzt zu haben. Wenn dies der Fall war, würde die rechtzeitige Verabreichung von Steroiden möglicherweise den Grad der Lähmung verringern. Sie hielten das für wirres Gerede, konnten es aber kaum ignorieren. Schließlich entdeckten sie einen einspurigen Weg, der zu einer unbefestigten Straße führte.

Die Gruppe trottete diesen Weg entlang, ohne zu wissen, was zu tun wäre, wenn sie am Ende auf die Straße stoßen würde. Das nächste Dorf konnte nicht zu Fuß erreicht werden, und jede Straße wäre nur wenig befahren. Sie hatten die vage Hoffnung, jemanden mit einem alten Traktor oder sonstigen Fahrzeug zu finden, das mich schneller zum Dorf transportierte. In diesem Teil Chiles waren zu jener Zeit praktisch keine Krankenwagen vorhanden. Doch zu unser aller großen Überraschung sahen wir beim Verlassen des bewaldeten Hügels, dass am Straßenrand ein Krankenwagen parkte. Der Fahrer redete kein Wort, schien jedoch auf uns gewartet zu haben.

Nachdem Bill uns früher am Tag an der Stelle abgesetzt hatte, wo die Boote zu Wasser gelassen wurden, fuhr er zu einem sonnigen Fleckchen, parkte und holte ein Buch hervor, um sich seiner ungestörten Lektüre zu widmen. Er wollte uns später an der Anlegestelle weiter flussabwärts abholen. Während ich wiederbelebt wurde, drehte eine der Frauen durch und rannte davon. Ich bin fest davon überzeugt, dass Gott es war, der sie genau zu dem Ort führte, wo Bill es sich gemütlich gemacht hatte.

Nach einer kurzen Erklärung sprangen beide in den Pick-up und rasten die Straße entlang, um unsere Gruppe zu suchen. Sie entdeckten uns in dem Moment, als ich in den Krankenwagen geschoben wurde.

Tom und Chad fuhren im Pick-up, derweil Bill und Kenneth bei mir hinten im Krankenwagen saßen. Der Fahrer steuerte mit hoher Geschwindigkeit die kleine Erste-Hilfe-Station im Dorf Choshuenco an. Kenneth war ein wenig erleichtert über meinen Zustand und meine Geistesgegenwart, denn ich bestand darauf, der Fahrer solle das Tempo drosseln, um uns nicht alle in den Tod zu reißen. Als wir dann schließlich die Station erreichten, kehrten Kenneth und Chad zu dem Chaos am Fluss zurück, während Tom mit Bill an meiner Seite blieb.

Am Fluss angekommen, versuchten die beiden Söhne zunächst, jene jungen Männer zu finden, die bei meinem Transport durch den Wald eine so große Hilfe gewesen waren, konnten sie jedoch nirgends aufspüren. Die Leute vom Dorf hatten keine Ahnung, wer gemeint sein könnte. Sie kannten niemanden, auf den die Beschreibung passte, und dachten, Kenneth und Chad hätten sich geirrt. Waren es vielleicht Engel? Den beiden erschien der Rückweg durch den Bambuswald zum Flussufer noch mühevoller als der Hinweg, den sie mit mir auf dem Kajak beschritten hatten. Der Wald kam ihnen jetzt noch dichter, der Abhang noch steiler vor. Und so war der Erfolg ihrer früheren Anstrengungen umso weniger plausibel, wenn man nicht davon ausgeht, dass der Ablauf meiner Rettung fast gänzlich auf göttlichen Eingriff zurückzuführen ist.

Nachdem Kenneth und Chad den Verbleib der übrigen Gruppenmitglieder geklärt hatten, versuchten sie, die zwei Boote zu bergen, die weiterhin am Fuße des Wasserfalls feststeckten. Das war ein fast unmögliches Unterfangen. Der Felsen, auf dem sie gestanden hatten, um mich aus dem Wasser zu befreien, war verschwunden. Sie fanden in der reißenden Strömung keinerlei Halt, ja konnten die Boote nicht einmal berühren. Mehr als eine Stunde harter, leidvoller Arbeit war vonnöten, um mit mehrfach verknoteten Seilen das erste aus dem Spalt zu ziehen. Dazu mussten beide Boote zunächst an Leinen befestigt und leicht gekippt werden, um diese dann hin und her zu bewegen, bis die Strömung das Werk vollenden konnte.

Nach Pucón zurückgekehrt, waren Kenneth und Chad erschöpft, zugleich aber überwältigt von meiner unmöglichen Rettung und den dabei aufgetretenen übernatürlichen Phänomenen. Gottes Gegenwart und sein gezielter Eingriff waren all denen klar, die der Situation beigewohnt hatten. Tom, Kenneth, Chad und Anne sagten mir, das Gefühl völligen Scheiterns und tiefer Verzweiflung sei plötzlich umgeschlagen in das von Erfolg und Erleichterung, ohne dass sie irgendeinen besonderen Beitrag geleistet hätten. Sie beschrieben mir das Ereignis als eine choreographierte Szene, in der jeder lediglich seine Rolle spielte. Bis zum heutigen Tag sind sie davon überzeugt, dass es sich nicht bloß um eine Geschichte mit gutem Ausgang handelt. Es geschah nicht nur *ein* Wunder, sondern eine ganze Reihe von Wundern, für die es keine andere Erklärung gibt als die, dass Gott eingegriffen hat.

Später drückte Chad es so aus: »Was geschehen ist, soll im Nachhinein nicht abgeschwächt werden. Wir waren alle Teil eines Wunders.«

Anne wiederum berichtete, sie sei ergriffen gewesen von den widersprüchlichen Gefühlen, einerseits derart hilflos und klein zu sein im Universum – und andererseits von Gott so sehr geliebt zu werden, dass er beschloss, einzugreifen. Sie glaubt weiterhin – wohl wie jeder von uns –, ein solches Wunder nicht verdient zu haben. In Anbetracht des Leidens und der Not so vieler Menschen ist nur schwer zu verstehen, warum oder wie er an jenem Tag am chilenischen Fuy sein Werk verrichtete, aber er hat es eindeutig getan.

Anne beschrieb ihre Ohnmacht, von der sie auf außergewöhnliche Weise befreit wurde. Sie weiß, dass Gott die Herrschaft innehat, und versteht jetzt den Vers in der Bibel, der erklärt, wie man auf alles verzichten muss, um alles zu gewinnen:

Denn wer sein Leben erhalten will, der wird's verlieren;
und wer sein Leben verliert um meinetwillen
und um des Evangeliums willen, der wird's erhalten.

Markus 8,35

14

Rückreise nach Wyoming

Ich will dich nicht verlassen noch versäumen.

Hebräer 13,5

Die Erste-Hilfe-Station in Choshuenco war ziemlich primitiv, ohne Diagnosegeräte und nur mit wenigen Medikamenten ausgestattet. Bill war froh, immerhin einen Vorrat an Verbandszeug zu finden, und schiente fachmännisch beide Beine. Ich habe wohl nicht viel gesprochen, da ich zwischen dieser Welt und der jenseitigen, die ich verlassen hatte, hin- und hertrieb. Noch immer war ich völlig versunken in meine Visionen, in die Intensität und leidenschaftliche Liebe, die ich gerade in Gottes Reich miterlebt hatte.

Im Versuch, das Geschehen einzuordnen und einen Sinn darin zu entdecken, traf ich eine klare Entscheidung: Ich würde mich weder in Chile noch in einer der großen amerikanischen Städte behandeln lassen, die auf unserem Rückweg nach Wyoming lagen. Jackson Hole verfügte über ein ausgezeichnetes Krankenhaus und Ärzte, denen ich vertraute. Vor allem aber war mir klar, dass ich bei meinen Kindern sein musste.

Bill und Tom luden mich auf die Rückbank des Pick-ups, und damit begann unsere Heimreise.

Wir fuhren nach Coique, wo es einen kleinen Flughafen gab. Da er geschlossen war, fuhren wir weiter nach Valdivia, eine belebte Stadt mit 100 000 Einwohnern. Als wir uns dem Eingang des Flughafens näherten und das verriegelte Tor sahen, war Bill derart betrübt, dass ihm Tränen über die Wangen liefen. Erst am nächsten Morgen würde der Flugbetrieb wieder aufgenommen.

Wir kehrten zurück in die Stadt und entdeckten ein kleines Hotel, in dem noch Zimmer frei waren. Tom verabschiedete sich, und Bill trug mich die Treppe hinauf. Es folgte eine lange, unruhige Nacht des Wartens. Bei Anbruch der Morgendämmerung brachte uns ein Taxi zum Flughafen, wo Bill ein kleines Flugzeug mit Ziel Santiago ausfindig machte. Er buchte zwei Plätze und hob mich sanft in die Maschine. Bill war heldenhaft. Er kümmerte sich um die Tickets, das Gepäck – und um mich in meinem äußerst geschwächten Zustand.

Ich weiß nicht genau, warum wir beschlossen, reguläre Verkehrsmaschinen zu benutzen, anstatt einen Notfalltransport zu organisieren, aber es erschien uns das Richtige. Bill trug mich von einem Flugzeug zum nächsten. Da die Maschine von Santiago nach Dallas nur spärlich besetzt war, gab es mehrere freie Sitze, auf denen ich mich ausstrecken konnte. Obwohl die Flugbegleiter bei meinem Anblick und meinem Gebaren die Augenbrauen hochzogen, fragte niemand allzu genau nach meinem Zustand.

Nach der Ankunft in Dallas, Fort Worth International Airport, wo man uns mit einem Rollstuhl empfing, passierten wir mühelos den Zoll und kehrten in die Vereinigten Staaten zurück. Bill meinte, es würde weniger Aufsehen erregen, wenn nur eines meiner Beine bandagiert sei, und so entfernte er vor dem Einchecken für den nächsten Flug nach Salt Lake City, Utah, eine Schiene. Dennoch brachten die Flugbegleiter ihre ernste Sorge zum Ausdruck, als sie zusahen, wie Bill mich behutsam auf den Sitz hob. Um ihre Fragen zu beantworten, verschleierten wir die Wahrheit ... mehr als ein bisschen. Wir beteuerten, wir beide seien orthopädische Chirurgen und ich hätte mir während der Ferien den Knöchel verletzt;

daher hielten wir es für bequemer, das Bein zu schienen. Offenbar nahmen sie uns dieses Märchen nicht ab und informierten den Flugkapitän.

Er kam und erklärte mit nachdenklicher Miene, dass ich im Falle einer Notlandung ein nicht zu unterschätzendes Hindernis wäre. Ich kicherte innerlich und wollte ihm mitteilen: Nach all dem, was mir widerfahren ist, würde dieser Flug der sicherste sein, den er in seinem Leben je hatte. Tatsächlich aber sagte ich, dass ich in Notfallsituationen ausgebildet und meine Verletzung nicht allzu schlimm sei, dass ich ganz gewiss niemandem im Weg wäre. Damit zufrieden, kehrte er ins Cockpit zurück, und wir konnten starten.

Nach der Landung in Utah hatte ich zunehmend Mühe zu atmen. Als wir im Flughafen kurz innehielten, um etwas zu trinken, fühlte ich mich schwach, krank und unfähig, tief durchzuatmen. Alles erschien mir fern, und wahrscheinlich dachten wir zu diesem Zeitpunkt nicht klar. Wir zogen nie in Betracht, eines der Krankenhäuser in Salt Lake City aufzusuchen, eben weil ich fest entschlossen war, mich in Jackson Hole behandeln zu lassen. In der Annahme, ich könnte ein Blutgerinnsel oder eine Lungenentzündung haben, riefen wir meinen Hausarzt an und baten ihn, sofort nach unserer Rückkehr in unsere Praxis zu kommen.

Anschließend lud Bill mich auf die Rückbank unseres Pickups, und wir begannen die fünfstündige Fahrt von Utah zu unserem Wohnort in Wyoming. Als meine Atmung nach einiger Zeit noch mühsamer wurde, fragte ich mich allmählich, ob meine Entscheidung richtig war und ob ich es bis zu meinen Kindern schaffen würde. Bill rief erneut den Internisten an und schlug vor, er solle uns in der Notaufnahme anstatt in der Praxis erwarten.

Als wir den Pine Creek Pass auf einer Höhe von gut 2000 Metern überquerten, verschlechterte sich meine Atmung noch mehr. Ich entschuldigte mich bei Bill – meinem liebevollen, treuen und beständigen Ehemann, den ich liebe. Er ist eines der größten Geschenke, die ich von Gott empfangen habe, und ich bat ihn um Verzeihung dafür, dass ich es nicht bis nach Hause schaffen konnte, dass wir nicht früher angehalten hatten, dass ich unbedingt nach Jackson Hole zurückwollte, dass ich ihn verlassen und sterben würde. Wieder und wieder entschuldigte ich mich.

In Chile war ich von meiner Entscheidung, nach Jackson Hole zurückzukehren, vollauf überzeugt gewesen, denn ich glaubte, sie stimme mit Gottes Plan überein. Da es nun ganz danach aussah, als würde ich vor der Ankunft sterben, erfüllte mich dieses vermutliche Missverständnis mit tiefer Reue. Ich wurde überwältigt von Trauer um meinen Mann und meine kleinen Kinder. Willie, Betsy, Eliot und Peter waren so liebevoll und verletzlich, dass der Gedanke, ihnen fernbleiben zu müssen, sie im Stich zu lassen, mich zur Verzweiflung trieb.

15

Die Macht des Gebets

Wenn zwei unter euch eins werden auf Erden,
worum sie bitten wollen, das soll ihnen
widerfahren von meinem Vater im Himmel.
Denn wo zwei oder drei versammelt sind
in meinem Namen,
da bin ich mitten unter ihnen.

Matthäus 18,19-20

Als wir über den fast 2600 Meter hohen Teton Pass fuhren, atmete ich derart flach und nahm so wenig Sauerstoff auf, dass ich nicht mehr sprechen konnte. Obwohl ich mich insgesamt nicht unwohl fühlte, wurde ich immer wieder ohnmächtig, während mein normalerweise gesetzestreuer Mann fester auf das Gaspedal trat und den Tachometer weiter in die Höhe trieb. Bei unserer Ankunft auf dem Parkplatz des Krankenhauses wurde das Tor für Ambulanzen aufgerissen, und rasch hob mich das Personal der Notaufnahme aus dem Pick-up auf eine Fahrtrage.

Als ich aufsah und das Gesicht meines Hausarztes erkannte, der meinen Blick erwiderte, wusste ich, dass ich endlich daheim war, verlor aber sofort das Bewusstsein. Ich wurde in die Notaufnahme gefahren und dort in einer der kleinen Untersuchungskabinen abgestellt. Mein Sauerstoffniveau war gefährlich niedrig und veränderte sich selbst dann nicht, als Sauerstoff zugeführt wurde.

Erste Diagnosen ergaben, dass ich an fortgeschrittener Lungenentzündung und akutem progressivem Lungenversagen

(Acute Respiratory Distress Syndrome, kurz ARDS) litt. Dabei handelt es sich um eine schwerwiegende Entzündung infolge eines Schocks, verursacht durch Beinaheertrinken, Fettembolie, Lungenentzündung, Rauchvergiftung oder dergleichen. Diese reaktive Schwellung des Lungengewebes entwickelt sich meistens im Zeitraum von vierundzwanzig bis achtundvierzig Stunden, beeinträchtigt die Sauerstoffaufnahme und führt oft zum Tod. Mein Hausarzt teilte meinem Mann in ernstem Ton mit, dass ich die Nacht wahrscheinlich nicht überleben würde.

Natalie, die medizinische Assistentin meines Hausarztes, saß in der Untersuchungskabine daneben, nur durch einen dünnen Vorhang von mir getrennt. Sie hatte ein anderes Mitglied unserer Kirchengemeinde namens Sherry wegen einer tiefen Schnittwunde zur Notaufnahme gefahren. Als beide die Mienen der Menschen rings um mich sahen und die Worte meines Hausarztes hörten, begannen sie sofort zu beten. Sie beteten für die Rettung meines Lebens, für die Heilung meines Körpers, für die seelische Kraft meiner Familie und dafür, dass Gottes Gnade uns umhülle. Sie beteten inbrünstig, leidenschaftlich und zielstrebig.

Bald verließen sie die Notaufnahme und besuchten ein Basketballspiel an der Highschool, wo viele aus der Gemeinde unsere Kinder anfeuerten. Sie gaben die Nachricht über meine Verletzung an andere weiter und ermunterten diese, ebenfalls zu beten. Bereits eine Stunde nach meiner Einlieferung ins Krankenhaus betete eine große Menge für mich. Anschließend kehrte Natalie nach Hause zurück, um pausenlos weiterzubeten. Sie tat es bis vier Uhr morgens, als ihr plötzlich eine innere Stimme sagte, sie könne nun ausruhen.

Während andere Menschen mich mit ihren Gebeten zum Herrn emporhoben, lag ich auf der Intensivstation. Fast die ganze Nacht kämpfte mein Körper ums Überleben. Dem Krankenblatt zufolge stabilisierte sich mein Zustand gegen vier Uhr morgens – genau zu jenem Zeitpunkt also, da Natalie sich vom Gebet befreit fühlte –, und die Krankenschwestern konnten erstmals einen Seufzer der Erleichterung ausstoßen. Es schien, als würde ich es schließlich doch schaffen.

Eine meiner Freundinnen erzählte mir später Folgendes: Sie dachte, ich würde die Nacht deshalb überstehen, weil Gott in Anbetracht all der Menschen, die um meinetwillen beteten, mich gar nicht hätte sterben lassen können. Davon weiß ich nichts, aber gewiss verstärkte Gottes Mitgefühl die Macht des Gebets bei denen, die sich daran beteiligten.

16

Sehschwäche und Sehkraft

*Sorget nichts, sondern in allen Dingen lasset
eure Bitten im Gebet und Flehen mit
Danksagung vor Gott kund werden!
Und der Friede Gottes,
welcher höher ist als alle Vernunft,
bewahre eure Herzen und Sinne …*

Philipper 4,6-7

Am nächsten Morgen wurde ich aufgeweckt durch die Ankunft zweier Diakone aus unserer Kirchengemeinde. Sie besitzen im Ort ein Geschäft für Freizeitsportartikel und brachten mir einen Stapel großartiger Magazine zum Lesen. Wie entzückend die beiden auch waren, muss ich doch zugeben, dass ich ihren baldigen Aufbruch herbeisehnte, um mit der Lektüre zu beginnen. Seltsamerweise ging es mir ausgezeichnet. Ich hatte keine Schmerzen und war geistig ziemlich klar.

Als sie fort waren, nahm ich sogleich eine Ausgabe des *Cross Country Skier* zur Hand, stellte aber überrascht fest, dass die Schrift trotz meines seit jeher perfekten Sehvermögens zu verschwommen für mich war. Ich legte das Heft beiseite und schaltete das Fernsehgerät ein. Die Bilder auf dem Monitor erschienen mir ebenfalls zu unscharf. Die Krankenschwester kam herein, und mir fiel auf, dass ich auch sie nur undeutlich wahrnahm. Es strengte mich an, ein Gespräch zu führen, weil ich keine Stelle länger als ein paar Sekunden betrachten konnte, ohne dass die verschwommene Sicht mir Unbehagen bereitete. Das war ebenso störend wie ärgerlich, also beschloss ich, ein kleines Nickerchen zu machen. Hinterher fragte ich die Schwester, ob irgendwo eine Bibel sei. Sie holte mir ein Exemplar, in dem ich dann nach Versen suchte darüber, wie man innere Stärke erlangt, und über ähnliche Themen. Ich schlug die Psalmen auf und entdeckte so wohlbekannte Verse wie:

Gott ist unsere Zuversicht und Stärke,
eine Hilfe in den großen Nöten, die uns getroffen haben.

Psalm 46,2

Er ruft mich an, darum will ich ihn erhören;
ich bin bei ihm in der Not, ich will ihn herausreißen
und zu Ehren bringen.

Psalm 91,15

Ich vermag alles durch den, der mich mächtig macht ...

Philipper 4,13

Leider war auch die Schrift in der Bibel zu verschwommen für mich. Gerade als ich das Buch frustriert wegschleudern wollte, blitzte vor meinen Augen eine scharf umrissene Erscheinung auf. In der Annahme, dass ich wieder klar sehen konnte, kehrte ich zu den Psalmen zurück. Doch die Buchstaben waren immer noch diffus. Abermals blätterte ich achtlos die Seiten durch und schloss das Buch.

Und wieder zeichnete sich vor mir eine deutlich sichtbare Form ab. So durchsuchte ich aufmerksam den Text, bis ich den Vers fand, der kristallklar war:

Seid allezeit fröhlich ...

1. Thessalonicher 5,16

Wow, ich fing an, über die Bedeutung dieses Verses nachzusinnen, da es sich eindeutig um eine Aufforderung Gottes handelte. Mir kam die Idee, dass ein fröhliches Herz und ein fröhlicher Geist zweifellos wichtig sind für Gott, nicht zuletzt deshalb, weil das Wort »Freude« in allen Büchern der Bibel erwähnt wird.

Ich war immer ein »glücklicher« Mensch gewesen, der meistens die positive Seite der Dinge sah. Aber Freude ist keineswegs dasselbe wie Glück. Sie beruht nicht auf Umständen, sondern auf der Gegenwart, der Hoffnung und den Versprechen Gottes. Selbst wenn es den Anschein hat, als würden wir durch irdische Kümmernisse zutiefst erschüttert, können wir fröhlich bleiben. Richten wir unsere Aufmerksamkeit stets auf Gott, kann unser Geist nicht unterjocht werden. Freude ist ein Gemütszustand und ein Seinszustand. Er spiegelt die bewusste Entscheidung wider, an die Versprechen der Bibel zu glauben.

Später am Tag stand mir ein zweiter Vers sehr deutlich vor Augen:

... betet ohne Unterlass.

1. Thessalonicher 5,17

Durch das Gebet können wir mit unserem Herrn kommunizieren. Dieser Vers fordert uns auf, den Kontakt mit ihm stets aufrechtzuerhalten. Er weist uns an, ein Leben im Gebet zu führen, mit jedem Atemzug, den wir machen, stille Gebete darzubringen und stets auf Gottes Unterweisung zu hören.

Früher hatte ich an die Macht des Gebets für einen selbst geglaubt – für Versöhnlichkeit, Veränderung, Einsicht und dergleichen. Ich hing der Vorstellung an, dass das Gebet nicht den Ausgang einer Situation ändert, sondern uns, indem wir sie aufarbeiten. Obwohl ich weiterhin fest davon überzeugt bin, habe ich später doch erkannt, dass dies nicht die ganze Wahrheit ist. Denn Jesus sagte: »... wo zwei oder drei versammelt sind in meinem Namen, da bin ich mitten unter ihnen« (Matthäus 18,20). Nun hatte ich sein Versprechen wie auch die außergewöhnliche Macht von Menschen, die für das Wohlergehen ihres Nächsten beten, persönlich erfahren.

So begann ich, mein Leben und jeden Atemzug, der mir zuteilwird, als ein leidenschaftliches Gebet an Gott zu betrachten – und als eine Möglichkeit, für andere, ja für unsere Welt im Ganzen zu beten.

Der letzte Vers, den ich an jenem Tag deutlich lesen konnte, lautete folgendermaßen:

> ... seid dankbar in allen Dingen;
> denn das ist der Wille Gottes in Christus Jesus an euch.

1. Thessalonicher 5,18

Ein zweifaches und dreifaches Wow! Sofort wurde ich an die alte, oft erzählte Geschichte erinnert, die davon handelt, dass man seinen Dank abstatten und sich sogar für unscheinbare Dinge erkenntlich zeigen soll:

> *Als ein armer Mann vom Bäcker einen Laib Brot bekam, dankte er ihm, aber der sagte: »Danke nicht mir. Danke dem Müller, der das Mehl hergestellt hat.« Also dankte der arme Mann dem Müller, aber der sagte: »Danke nicht mir. Danke dem Bauern, der den Weizen angepflanzt hat.« Also dankte der arme Mann dem Bauern, aber der sagte: »Danke nicht mir. Danke dem Herrn. Er segnete die Erde mit Sonnenschein und Regen und Fruchtbarkeit, und deshalb hast du Brot zu essen.«*

Weitere Bibelpassagen, Schriftstücke, Fernsehbilder und sogar die Gesichter der Menschen, die ich liebe, blieben mehrere Tage verschwommen. Daher konnte ich nichts als diese
drei Bibelverse lesen, nicht fernsehen – und wollte mit niemandem Gespräche führen. Ich las sie wieder und wieder; es
sind die kürzesten in der Bibel, aber meines Erachtens haben
sie einen tiefen Sinn und fassen viel von dem zusammen, was
Gott von uns erwartet.

17

Gespräch mit einem Engel

Bittet, so wird euch gegeben;
suchet, so werdet ihr finden;
klopfet an, so wird euch aufgetan.

Matthäus 7,7

Viele Stunden dachte ich darüber nach, was Gott von mir erwartete. Selbst vor meinem Unfall im Wildwasser hatte ich
nie wirklich an den Zufall oder glücklichen Umstand als solchen geglaubt. Ich war und bin fest davon überzeugt, dass
Gott die meisten Geschehnisse lenkt und dass sie Teil eines
umfassenden Planes sind. Während ich also im Krankenhausbett mit der Frage lag, welchen Zweck mein Missgeschick hat,
fand ich mich plötzlich auf einem Felsen inmitten eines großen, sonnenüberfluteten Feldes wieder.

Ich sprach mit einem Engel, der auf einem Felsen mir ge-
genübersaß. Ich bezeichne dieses Wesen als »Engel«, weiß jedoch nicht, was es eigentlich war: Engel, Bote, Christus oder
Lehrmeister. Allerdings weiß ich, dass es von Gott und in Gott
war. Im Laufe unserer Unterhaltung stellte ich dem Engel
Fragen, und er beantwortete sie. Wir sprachen darüber, wie
man noch in schrecklichen Situationen stets die Freude be-
wahrt, und über die uralte Frage: Warum widerfahren guten
Menschen schlimme Dinge? So empfing ich die folgenden
Einsichten.

Jeder von uns verfügt über die Möglichkeit und das Privileg, aus bestimmten Gründen auf die Erde zu kommen.
Manchmal kommen wir, um die eigenen Gaben des Geistes

weiterzuentwickeln und zu verbessern: die der Liebe, der Freundlichkeit, der Geduld, der Freude, des Friedens, der Güte, der Treue, der Sanftheit und der Selbstbeherrschung. Dann wieder kommen wir, um jemand anderem zu helfen, seine oder ihre Gaben des Geistes zu entfalten. Jedenfalls kommen wir alle zur Erde, um Christus in der Weise ähnlicher zu werden, wie es in Römer 8 beschrieben wird.

Bei der Vorbereitung dieser Reise zur Erde können wir unser Leben in Grundzügen entwerfen. Das heißt jedoch nicht, dass wir, die Menschen, über unseren Lebensplan allein bestimmen. Vielmehr liegt er in Gottes Hand, wir überdenken und besprechen ihn dann mit dem Engel, der für unsere »persönliche Planung« zuständig ist. In das Schema sind Abzweigungen eingezeichnet, an denen wir entweder unseren Weg beenden und zu Gott zurückkehren oder zu einer anderen Aufgabe, einem neuen Ziel geführt werden.

Zu diesen Abzweigungen gelangen wir sowohl durch bewusste Entscheidungen als auch durch äußere Umstände – oder ein Engel greift ein und treibt uns dorthin. Sind Sie je »genau zur rechten Zeit« irgendwo eingetroffen? Können Sie sich im Rückblick an eine Person erinnern, die kurz in Ihr Leben trat, etwas sagte oder tat und damit einen Einfluss ausübte, der weitaus größer war als das Wort oder die Geste selbst? Welche genauen Umstände haben Sie mit Ihrem künftigen Ehepartner zusammengebracht oder ähnlich wichtige Wendungen in Ihrem Leben herbeigeführt? Haben Sie schon einmal beiläufig an jemanden gedacht, und dieser Mensch tauchte dann plötzlich auf oder kontaktierte Sie? Ist Ihnen je etwas passiert, das Ihnen den Gedanken eingab: *Wirklich merkwürdig, diese Geschichte*? Überlegen Sie also, ob es sich dabei lediglich um eine Reihe von »Zufällen« handelte oder nicht doch um »arrangierte« Ereignisse, die beweisen, dass Gott die Hand mit im Spiel hat.

Obwohl wir uns der Engel oder ihres Eingriffs in unser Leben nur selten bewusst sind, glaube ich fest daran, dass sie uns Tag und Nacht begleiten. Engel sind Geistwesen, die im Alten und Neuen Testament über 250 Mal erwähnt werden. Sie erscheinen in Gestalt von Geschöpfen, Ereignissen, Menschen, um Gott zu preisen und zu verehren. Sie kümmern sich um sein Volk, beschützen und führen es, schalten sich häufig ein oder überbringen seine Botschaften. Sie arrangieren jene »Zufälle«, die sich in unserem Leben immer wieder ereignen.

Bemerkenswert ist, dass die meisten Theologen damit einverstanden wären, dass Engel unter uns leben – gemäß Gottes Willen, nicht nach dem unseren.

In seinem Buch *Systematic Theology* (Systematische Theologie) schrieb Lewis Sperry Chafer: »Engel sind vielleicht auch deshalb für den Menschen nicht sichtbar, weil sie andernfalls angebetet würden. Der Mensch, der stark dazu neigt, Götzen ebenso zu verehren wie die Arbeit seiner Hände, könnte der Anbetung der Engel kaum widerstehen, wenn sie ihm vor Augen stünden.«

Obgleich oft unerkannt, sind Engel in unserer heutigen Welt sicherlich präsent und aktiv. Ein Artikel im Magazin *Newsweek* (November 1994) unter dem Titel »In Search of the Sacred« (Auf der Suche nach dem Heiligen) hielt fest: »20 Prozent der Amerikaner haben im letzten Jahr eine Offenbarung von Gott empfangen, und 13 Prozent haben einen Engel gesehen oder seine Gegenwart gespürt.«

Engel setzen uns regelmäßig einer Situation aus – oder treiben uns förmlich in sie hinein –, in der wir gezwungen sind, einen ganz anderen Weg einzuschlagen. Natürlich werden wir nicht wirklich dazu *gezwungen*, sondern eher veranlasst, uns der nächsten Gabelung zu nähern, wo wir dann beschließen, nach rechts oder nach links abzubiegen. Jede dieser Entscheidungen bringt uns weiter, und es gibt kein Zurück, keine Möglichkeit, frühere Dinge ungeschehen oder anders zu machen. Jede Wahl, die wir heute treffen, beeinflusst die Entscheidungen, vor denen wir morgen stehen. Der Planet Erde und die Menschen, die ihn bewohnen, sind tatsächlich eng miteinander verbunden, und keine Aktion bleibt ohne irgendeine Art von Reaktion.

Selbst die schlimmsten Situationen und Ereignisse können in Individuen und/oder Gesellschaften große Veränderungen bewirken. Wären wir nicht Zeugen der Grausamkeit, könnten wir kein Mitleid empfinden. Ohne große persönliche Herausforderungen wären wir weder zur Geduld noch zur Treue fähig. Gerade die Erkenntnis, dass unsere irdischen Probleme im Hinblick auf das ewige Leben kaum ins Gewicht fallen, ermöglicht es uns, auch inmitten der Trauer und Sorge die Freude zu erfahren. Hand aufs Herz: Haben Sie sich je wesentlich verändert oder weiterentwickelt in einer Phase des Behagens oder der Selbstzufriedenheit? Die Einsicht, dass der Wandel nur selten ohne Schwierigkeiten und Mühen eintritt, kann einen Menschen derart befreien, dass er an allem Freude findet. Außerdem verhilft sie uns dazu, jeden Tag mit einem von Dank erfüllten Herzen zu verbringen und »dankbar in allen Dingen« zu sein.

Was immer auch geschehen mag – wir können uns glücklich schätzen, dass Gott seine Versprechen hält, dass unser Glaube ausreicht, um uns zu stärken, und dass uns das ewige Leben sicher ist.

Bisweilen werden wir mit unangenehmen Situationen oder Personen konfrontiert, um uns in eine Richtung zu führen, die mit Gottes Willen deutlicher übereinstimmt. Eines meiner bevorzugten Beispiele dafür ist das vom Bettler, der vor dem Büro eines reichen Geschäftsmannes sitzt, um ihm zu helfen, mehr Toleranz und Mitgefühl gegenüber anderen aufzubringen.

Auch in meinem eigenen Leben gibt es solche Beispiele. Vor dem Unfall störte und ärgerte mich sehr das Verhalten einiger Arbeitskollegen. Danach mochte ich ihr Verhalten immer noch nicht, aber mir wurde klar, dass ich weder ihren Zweck auf Erden kenne noch den Grund, warum sie in meinem Leben sind. So schwer es manchmal zu akzeptieren ist, weiß ich doch, dass Gott jeden von ihnen genauso innig liebt wie mich. Anstatt mich durch ihr Verhalten aus der Fassung bringen zu lassen, finde ich jetzt Freude in der Einsicht, dass es mich Geduld lehrt, und dafür bin ich dankbar. Ich fing sogar an, für sie zu beten, was meine Einstellung grundlegend verändert hat. Die Übung, für andere zu beten (und ich meine das mit Liebe gesprochene Gebet), kann dramatische Auswirkungen haben und zu größerer Zufriedenheit, ja tieferem inneren Frieden führen. Jedenfalls lohnt es sich, das einmal auszuprobieren.

Während der Engel auf dem Felsen mir gegenüber seine Erklärungen fortsetzte und geduldig meine Fragen beantwortete, kam mir eine einleuchtende Analogie zu unserem individuellen Leben in den Sinn: Wir alle sind Fäden, aus denen ein riesiger und wunderbarer Gobelin gewoben wird. Als Individuen verbringen wir das Leben damit, uns um den eigenen Faden zu sorgen – welche Farbe er hat, wie lang er ist –, und geraten in Wut, wenn er ausfranst oder reißt. Der ganze Gobelin aber ist so groß, dass wir ihn gar nicht überblicken können, und sein Muster derart komplex, dass uns die Bedeutung unseres einzelnen Fadens verborgen bleibt. Dennoch wäre der Gobelin ohne unseren individuellen Beitrag schadhaft und unvollständig. Daher sollten wir diesen Beitrag anerkennen und uns daran erfreuen. Unser Faden – unser Leben – ist in der Tat wichtig. Unsere Handlungen und unsere Entscheidungen, selbst die scheinbar geringfügigen, machen einen Unterschied.

Ich finde es aufschlussreich, dass gerade jene Leute, die über bedauerliche Umstände oder furchtbare Ereignisse klagen, nur selten unmittelbar damit zu tun haben. Ich konnte mit Menschen sprechen, die sich in sogenannten »schlimmen, tragischen oder verheerenden« Situationen befunden haben, aber trotzdem dankbar dafür sind und auch dann nichts an ihrer Lage ändern würden, wenn man ihnen die Möglichkeit dazu gäbe.

Es geht mir um Folgendes: Die Deutung, ob eine Sache grundsätzlich »gut« oder »schlecht« ist, hängt allein vom eigenen Standpunkt ab. Ist es wirklich so, dass »guten« Menschen »schlimme« Dinge widerfahren? Ich habe da meine Zweifel. Jesus war gewiss ein sehr »guter« Mensch, und seine Kreuzigung würden die meisten wohl als »schlimm« bezeichnen. Seine Jünger waren am Boden zerstört, doch ohne dieses Ereignis hätten sich die Prophezeiungen des Alten Testaments nicht erfüllt und wäre kein neues Bündnis mit Gott geschlossen worden. Aus dieser Perspektive fällt es schwer, die Kreuzigung Jesu für »schlimm« zu erklären. Tatsächlich bildet sie den Kern der »frohen Botschaft«, die Christen auf der ganzen Welt feiern.

Selbst wenn wir enttäuscht sind, weil wir eine Situation oder Begebenheit nicht begreifen können, gibt es unsichtbare Engel, die, von Gottes Weisheit geführt, uns Beistand leisten und Trost spenden. Unsere einzig wahre vernünftige Option besteht darin, auf das Wort und die Versprechen Gottes zu bauen.

18

Pflegestation

Dies ist der Tag, den der Herr macht;
lasst uns freuen und fröhlich an ihm sein.

Psalm 118,24

Als mein Gesundheitszustand es zuließ, wurde ich auf die Pflegestation verlegt. Dort angekommen, hatte ich weiterhin keine nennenswerten Schmerzen und fühlte mich nach wie vor in den Umhang Gottes gehüllt. Ja ich war glückselig.

Wenn jemand zum ersten Mal in mein Zimmer kam, trat er oder sie buchstäblich einen Schritt zurück und fragte mit überraschter Miene: »Was geht hier vor?« Die Menschen hatten das Gefühl, eine physische Macht und Gegenwart sei im Raum. Zunächst achtete ich nicht weiter auf solche Bemerkungen. Dann aber, als ganz unterschiedliche Leute mir den gleichen Eindruck mitteilten, kam ich zu der Überzeugung, dass sie hier eine fast greifbare Energie spürten. Ich hätte darüber nicht verwundert sein sollen, denn ich selbst konnte Gottes Gegenwart deutlich spüren.

Seit meinem Unfall waren mehrere Wochen vergangen, aber ich verbrachte den größten Teil der Tage immer noch in nachdenklicher Betrachtung, um in all den Geschehnissen einen Sinn zu entdecken. Ich glaubte, dass alle Dinge zum Besten dienen, und überlegte, welche Gründe zu diesem Unfall geführt haben mochten. Völlig unerwartet saß ich plötzlich erneut in einem herrlichen, sonnenüberfluteten Feld mit einem Engel zusammen. Der strahlende Glanz, den die Schönheit ringsum verbreitete, und die reine verströmende Liebe des Engels überwältigten mich und spendeten mir zugleich neue Kraft.

Wir schienen stundenlang ins Gespräch vertieft, und ich verspürte nie den Wunsch, von dort wegzugehen. Wir erörterten die Einzelheiten meines Unfalls, und ich erhielt weitere Informationen darüber, warum ich zur Erde zurückgeschickt worden war.

An späterer Stelle werde ich mehrere dieser Gründe näher beleuchten; zum Beispiel sollte ich für die Gesundheit meines Mannes sorgen, meiner Familie und Gemeinde ein Fels in der Brandung sein, zumal nach dem Tod unseres Sohnes, anderen Menschen helfen, den Weg zu Gott wiederzufinden, und meine Geschichte sowie die damit verbundenen Erfahrungen einer breiteren Öffentlichkeit zugänglich machen.

Als unser Gespräch beendet und für mich die Zeit gekommen war, in die Gegenwart zurückzukehren, küsste mich der Engel auf die Stirn und verabschiedete sich. Ich wusste, dass es unsere letzte Unterredung war und dass mit diesem Kuss die behandelten Themen gleichsam unter einem Schleier verborgen wurden. Später würde ich die Möglichkeit haben, den Schleier zu heben und mich an all die mitgeteilten Worte zu erinnern, wenn ich das wirklich wollte, aber mir war auch klar, dass sie eigentlich verschleiert bleiben sollten.

Mit meiner Verlegung auf die Pflegestation war die besondere Annehmlichkeit verbunden, Besucher empfangen zu können. Ich freute mich mächtig auf den ersten Besuch meiner Kinder, um endlich jedes von ihnen an mich zu pressen und zu beruhigen. Als sie eintraten, sträubten sich jedoch die drei älteren, mir nahe zu kommen, und das jüngste blieb meinem Bett so fern wie möglich. Offenbar muss mein Anblick sie verschreckt haben, erkannten sie mich mit all den an meinen Körper angeschlossenen Schläuchen und Geräten kaum wieder, aber ihr Zögern brach mir das Herz. Es dauerte ein paar Tage, bis sie sich daran gewöhnt hatten. Danach verbrachten wir wunderbare Stunden zusammen, in denen wir uns aneinanderkuschelten und Filme anschauten. Und obwohl ich sie vergötterte und die gemeinsame Zeit in vollen Zügen genoss, sehnte sich ein Teil von mir danach, bei Gott zu sein. Aufgrund dieser Einsicht fühlte ich mich zerrissen und deprimiert.

Eines Nachmittags wurde ich geweckt durch den Besuch von Al Forbes, einem meiner Partner in der orthopädischen Praxis. Er ist überzeugter Christ, und so verspürte ich das Bedürfnis, ihm meine außergewöhnlichen Erfahrungen im Fluss genauer zu schildern. Als ich von meinem Ertrinken erzählte, von Gottes liebevoller Umarmung und den Wundern, die dann geschahen, brach er in Tränen aus. Ich fragte, was ihn denn derart erschüttere, und hörte mit Erstaunen, ihn habe der Neid übermannt, dass ich Gott so nah gewesen sei, und er weine, weil er eigentlich nicht zu den Neidern zähle. Nach dieser Begegnung beschloss ich, nur wenigen Menschen die Details und das Ausmaß meiner Gotteserfahrung mitzuteilen, um niemanden in Verwirrung zu stürzen.

Da sich mein körperlicher Zustand so weit stabilisierte, dass es nicht mehr um mein Überleben ging, sondern um meine Genesung, wurde ich wieder stärker in die Wirklichkeit des Diesseits hineingezogen. Meine Verbindungen zu Gottes Welt verloren spürbar an Intensität, bis ich schließlich nicht mehr von der einen Welt in die andere wechseln oder Gespräche mit Engeln führen konnte.

Als ich weiter auf dem Wege der Besserung war und meine Partner in der Praxis (einschließlich meines Mannes) dem vorgeschlagenen Behandlungsplan zustimmten, fasste ich die erste von mehreren Operationen ins Auge, um meine diversen inneren Verletzungen behandeln zu lassen. Mit Beginn dieser Therapie traten auch die ersten Schmerzen auf.

Meine restliche Zeit im Krankenhaus war für alle Beteiligten eine Herausforderung. Ich versuchte nach wie vor, meine Erlebnisse zu verarbeiten, und meditierte über die drei Verse in 1. Thessalonicher 5, 16-18, aber meine Beine steckten in Gipsverbänden, die von den Zehen bis zu den Hüften reichten, sodass ich mich kaum bewegen und wenig tun konnte. Tagsüber war Bill in der Arbeit, die älteren Kinder gingen zur Schule, und Peter wurde von unserem Kindermädchen Kasandra versorgt. Da ich auf dem Rücken lag und nur an die Decke starren konnte, zählte ich immer wieder die Kacheln dort oben, zuerst in vertikaler, dann in horizontaler und anschließend in diagonaler Richtung. Die »aufregende« Feststellung, dass jedes Mal die gleiche Zahl herauskam, konnte meine Langeweile allerdings nicht verringern.

Besuche waren anstrengend, dienten mir aber als Lichtblicke in dieser ansonsten düsteren Zeit. Ein Freund rollte mein Bett vor das Fenster im Flur, durch das ein betörendes Sonnenlicht flutete, und eine aufmerksame Freundin brachte mir eine Körperlotion, deren Lavendelduft von einem Feld voll frischer Blüten zu kommen schien. Sobald ich mir etwas davon auf die Hände strich, genoss ich den Duft, der mich in ein Gefühl von Behagen und Schönheit hüllte. Das bedeutete mir so viel, dass ich die Flasche bis heute aufbewahrt habe.

Wenn ich sie jetzt gelegentlich öffne und den verbliebenen Wohlgeruch einatme, werde ich sofort an mein damaliges Entzücken erinnert, und auch an die Person, die es mir bescherte.

Nach mehr als einem Monat im Krankenhaus war ich jedenfalls keineswegs traurig, meine Sachen zusammenzupacken und nach Hause zurückzukehren.

19

Meine körperliche Genesung

Im Leben geht es nicht darum,
auf Regenschauer zu warten;
man muss lernen, im Regen zu tanzen.

Vivian Greene

Die Entlassung aus dem Krankenhaus versetzte mich in freudige Erregung, aber nach der Ankunft zu Hause war ich deprimiert und in einem elenden körperlichen Zustand. Gewiss fand ich Freude an meiner Umgebung, doch das änderte nichts an der konkreten täglichen Realität. Meine Beine waren bis zur Leistengegend von festem Gips umschlossen, und so konnte ich mich nicht allein fortbewegen, aber immerhin mit einer Gehhilfe aufrecht stehen, nachdem jemand mich hochgehoben hatte. Wenn niemand in der Nähe war, um mir Beistand zu leisten, war ich an den Rollstuhl gefesselt.

Das Haus, in dem wir zur Miete wohnten, musste in den 1970er-Jahren gebaut worden sein, denn Flure und Türen waren sehr schmal. Ein Freund entfernte diese, damit man mich zwischen meinem Schlafzimmer und der Küche hin- und herfahren konnte, aber im Grunde kam ich mir vor wie ein *Pet Rock*, einer jener Kieselsteine, die zur damaligen Zeit in einem Pappkarton verkauft wurden, um sie zu Hause als Haustiere zu halten. Ich musste an Ort und Stelle ausharren, bis jemand mich anderswohin schob.

Noch im Krankenhaus hatten sich in meinen Beinen Blutgerinnsel gebildet, die dann Richtung Lungen wanderten. Um sie aufzulösen und zusätzliche Komplikationen zu vermeiden, gab Bill mir zu Hause zwei Spritzen täglich – gar keine angenehme Erfahrung für jemanden, der es hasst, mit der Nadel gestochen zu werden. Außerdem musste ich schmerzstillende Mittel nehmen, die mich benommen machten. Die Euphorie, den Himmel zu besuchen, war verflogen. An ihre Stelle traten die Monotonie des Alltags und die Fassungslosigkeit darüber, dass ich zur Erde zurückgeschickt worden war.

Ich fühlte mich wirklich niedergeschlagen. Da ich stets aktiv und kräftig gewesen war, lastete die körperliche Unbeweglichkeit schwer auf meiner Seele. Es kostete mich viel Mühe, den Leitspruch des Jüngers Jakobus zu befolgen: »Finde in allem einen Grund zur Freude … auch wenn du vor vielerlei Herausforderungen stehst, denn du weißt, dass die Prüfung deines Glaubens dir Kraft zum Durchhalten verleiht.« Ich dachte, dass ich mir bereits genug Durchhaltevermögen angeeignet hatte.

Scott war einer der Pfleger im Krankenhaus, und Bill hatte mit ihm vereinbart, mich mehrmals wöchentlich zu Hause zu betreuen. Er war stark, fürsorglich und immer fröhlich. Ich freute mich auf seine Besuche und genoss die heilsame Energie, die von ihm ausging. Er fuhr mich von einem Zimmer ins andere, wusch mir das Haar, bereitete mein Mittagessen zu, heiterte mich auf und saß einfach bei mir. Ungeachtet dessen schmachtete ich vor mich hin. Daher beschlossen einige meiner kreativen Freunde, etwas dagegen zu tun. Sie befestigten zwei Skier an den Kufen eines Schlittens und bauten einen speziellen Sitz darauf. Dann brachten sie an dessen Rückseite einen Griff an, sodass Scott mich über die schneebedeckte Straße vor unserem Haus schieben konnte. Auf diese Weise wurde ich spazieren gefahren wie ein Säugling im Kinderwagen!

Manchmal wurde ich langsam geschoben, dann wieder brachte mich Scott zu einem der nahegelegenen Hügel und ließ mich auf dem Schlitten schnell hinuntersausen, während er hinter mir herrannte. Bald nahm ich ein Paar kurze Skistöcke mit und wurde ziemlich geschickt darin, den Schlitten freudestrahlend zu steuern, indem ich die Stöcke rechts oder links in den Schnee stieß. Nur bei diesen Ausflügen fühlte ich mich mobil und vital, also fand ich sie großartig. Meine Familie gewöhnte sich an, Scott den »Schlittenjungen« zu nennen, denn sobald er eintraf, wollte ich nur noch auf den Schlitten gehievt und ausgefahren werden.

Er war in meinem Genesungsprozess so wichtig, dass mir der Abschied von ihm ein wenig schwerfiel, als ich schließlich wieder kräftig und beweglich genug war, um für mich selbst zu sorgen. Inzwischen hat er unsere Stadt verlassen und ist Assistent eines Arztes geworden. Seit vielen Jahren habe ich nichts mehr von ihm gehört, erinnere mich aber sehr gerne an ihn und werde die Freundlichkeit, die er mir entgegenbrachte, stets zu schätzen wissen.

Unser jüngster Sohn Peter war bei meinem Kajakunfall erst eineinhalb Jahre alt. Er hatte am meisten gezögert, mir im Krankenhaus nah zu sein, aber nach meiner Heimkehr wich er nicht mehr von meiner Seite. Viele Monate lang blieb ich dank seiner Liebe und Beständigkeit, seinem Trost und dem gemeinsamen Wissen von Gottes Gegenwart eng mit ihm verbunden – und durch ihn mit dieser Welt. In Anbetracht seines sehr jungen Alters glaube ich, dass er sich noch an Gottes Welt erinnerte, was ihm ein Verständnis für den spirituellen Aspekt meiner Erfahrung wie auch für meine anschließenden Leiden zu geben schien. Meine älteren Kinder waren wunderbare Quellen der Freude, der Ermutigung und der Inspiration. Kasandra wiederum, unser so treusorgendes Kindermädchen, vermittelte uns allen ein kostbares Gefühl von Stabilität.

Obwohl ich zu Hause körperlich anwesend war, war ich seelisch doch abwesend. Der Genesungsprozess einerseits und die starken Stimmungsschwankungen andererseits nahmen mich fast völlig in Besitz, während ich all das zu verarbeiten suchte, was mit mir geschehen war. Ich brauchte mehr als ein Jahr, um endlich zu akzeptieren, dass ich nicht nur zur Erde zurückgeschickt worden war, sondern auch weiterhin Aufgaben zu erledigen hatte. Ich war Teil einer Familie, die ich innig liebte, und sah ein, dass ich mit meinem Leben zurechtkommen und das Beste daraus machen sollte.

Während dieser Zeit war vor allem Bill das Bindeglied, das unsere Leben zusammenhielt. Er arbeitete Vollzeit in seiner orthopädischen Praxis, kümmerte sich um meine orthopädische Praxis, sorgte für unsere Kinder, wechselte Peters Windeln, stellte sicher, dass alle richtig ernährt wurden, gab mir Spritzen, organisierte meine medizinische Behandlung, während er sich zugleich mit den eigenen Gefühlen der Hilflosigkeit und der Trauer über die unheilvollen Ereignisse auseinandersetzen musste. Obgleich emotional und physisch erschöpft, war er einfach außergewöhnlich.

Auch die Gemeinde, in der wir leben, bestärkte unsere Familie in einer Weise, dass ich selbst jetzt noch in Tränen ausbrechen kann, wenn ich daran zurückdenke. Mehrere Monate lang brachte uns jemand von der Kirche oder einer Wohlfahrtsorganisation jeden Abend etwas zu essen ins Haus. Gelegentlich verbrachten Leute ihr Wochenende damit, »für uns die Stellung zu halten«, damit Bill Skifahren gehen oder etwas in eigener Sache unternehmen konnte. Da wir erst relativ kurze Zeit vor meinem Unfall in den Ort gekommen waren, kannten wir die meisten Einwohner gar nicht, und viele von ihnen kannten uns nicht. Dennoch standen sie uns in der Not bei, und ihre Liebenswürdigkeit war ein großer Segen.

Betsy, Peter, Willie und Eliot kurz vor unserem
Umzug nach Jackson Hole, Wyoming.

Mein Sohn Willie, Jahre später, beim Aufstieg
zum Grand Teton im National Park, Wyoming.

Kurz vor der Fahrt zum Fluss Fuy entspannen
Bill und ich unter chilenischer Sonne.

Bill und ich an der Stelle des Flusses,
wo die Boote zu Wasser gelassen werden.
Ich trage die rote Trockenjacke meines Mannes.

Blick auf einen Abschnitt des Fuy. Dieser herrliche
Fluss ist mit seinen felsigen Ufern und steilen,
dicht bewaldeten Hügeln fast unzugänglich.

Ich war eingeklemmt unterhalb
des Wasserfalls zur Linken dieses Kajakfahrers.

Als sich mein Zustand stabilisiert hatte,
kuschelten meine Kinder Willie, Betsy, Peter, Eliot und ich
im Krankenhausbett und schauten zusammen Filme an.

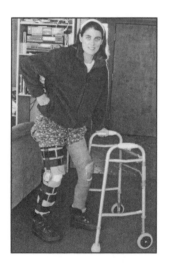

Das Gehen war gewiss eine große Herausforderung;
zugleich aber beglückte es mich, nach langer Zeit im
Rollstuhl wieder aufrecht stehen und wenigstens
ein paar Schritte machen zu können.

Ich, Peter, Willie, Bill, Betsy und Eliot.
Während unserer Ferien auf Virgin Gorda
(Britische Jungferninseln) an Ostern 2004
trafen mein Mann und ich jene Entscheidung,
die unsere berufliche Situation nachhaltig
verändern sollte.

Oktober 2010. Betsy, ich, Peter, Eliot und Bill
auf unserer ersten Reise ohne Willie.

Ich liebe das Wasser und genieße nach wie vor
das Kajakfahren, wann immer sich die
Möglichkeit dazu bietet.

Die Tätigkeit als Chirurgin gewährt mir weiterhin
tiefe Befriedigung, obwohl ich jetzt den geistig-seelischen
Aspekt in den Heilungsprozess mit einbeziehe.

Willie präsentiert sein erstes *No Idling*-Schild
(»Gegen die Untätigkeit«) in Jackson Hole.
Sein Aufruf, einen Unterschied zu bewirken,
inspiriert die Menschen bis heute.
Seither wurden zahlreiche weitere Kampagnen
gegen die Untätigkeit durchgeführt und
Schilder in etwa dreißig amerikanischen
Städten aufgehängt.

20

Bob

Ich habe den guten Kampf gekämpft,
ich habe den Lauf vollendet,
ich habe Glauben gehalten ...

2. Timotheus 4,7

Zwei Wochen nach meiner Entlassung aus dem Krankenhaus
bekam ich einen Telefonanruf und erfuhr, dass bei meinem
Vater Bob die lebenserhaltenden Maßnahmen eingestellt
würden. Wie bitte???

Obwohl mein Gehirn gut funktionierte und ich die Wörter
deutlich hörte, konnte ich diese Nachricht nicht begreifen. Ich
hatte nicht einmal gewusst, dass er im Krankenhaus war, wie
also sollte ich verstehen, dass der Apparat, an dem sein Leben
hing, abgeschaltet würde?

Es stellte sich heraus, dass er zwei Wochen zuvor während
eines Besuchs bei meinem Bruder in San Francisco plötzlich
ein Unwohlsein verspürt hatte. Zurück in Michigan, erkrankte
er an einer schweren Lungenentzündung und wurde ins Krankenhaus eingeliefert. Da sich sein Zustand auch nach einer
Behandlung mit Antibiotika nicht besserte, wurde er an ein
Beatmungsgerät angeschlossen, um die Sauerstoffzufuhr zu
erhöhen. Trotz dieser aggressiven Methode ging es ihm zu-
sehends schlechter, und als dann seine inneren Organe nach-
einander versagten, traf meine Stiefmutter die Entscheidung,
das Beatmungsgerät abschalten zu lassen. Unerklärlicherweise
hatte sie auch beschlossen, weder mich noch eines meiner

drei Geschwister (wir alle stammten aus seiner früheren Ehe) darüber zu informieren, dass er ins Krankenhaus eingeliefert worden war, dass sich sein Zustand verschlimmert hatte und dass sie nun jenen endgültigen Schritt unternehmen werde.

Im Laufe der Jahre war die Beziehung zwischen meinem Vater und uns Kindern infolge seiner Lebensumstände immer problematischer geworden. Oft sprach er davon, wie sehr er sich eine enge Beziehung mit jedem von uns wünsche, dass aber seine Frau etwas dagegen habe und ihm viele Steine in den Weg lege. Sie war eine Witwe mit fünf Kindern, von denen einige noch bei ihr und meinem Vater im Haus wohnten. Ich glaube, sie wollte einfach nicht akzeptieren, dass er vor ihrer Ehe ein anderes Leben geführt und selbst vier Kinder großgezogen hatte. Sie hinderte ihn daran, Fotos aus der Vergangenheit aufzustellen, uns von zu Hause anzurufen oder zu besuchen.

Wenn er uns das erzählte, kamen ihm häufig die Tränen, zugleich jedoch war er nicht imstande oder gewillt, seine Frau zu einer Änderung ihres Verhaltens zu bewegen. Der nahende Tod würde die angespannten Beziehungen für endgültig erklären und jede Möglichkeit zur Versöhnung ausschließen. Aus diesen Gründen war ich mir vollauf bewusst, wie wichtig es war, unseren Vater noch einmal zu sehen, ehe sein letzter Lebensfaden durchschnitten wurde.

Ohne Rücksprache mit meiner Stiefmutter kontaktierte ich den behandelnden Arzt und bat ihn, die lebenserhaltenden Maßnahmen so lange fortzusetzen, bis meine Geschwister und ich bei unserem Vater sein konnten. Und obwohl er dadurch ein oder zwei zusätzliche Tage am Beatmungsgerät angeschlossen bleiben musste – denn wir alle kamen von weit her –, gab der Arzt widerwillig sein Einverständnis. Zu meinem Ärger muss ich gestehen, dass er dies nur auf mein heftiges Drängen hin tat.

Meine Geschwister waren bereits am Flughafen, als ich eintraf, und gemeinsam fuhren wir dann direkt zum Krankenhaus.

Beim Betreten des Zimmers, in dem mein Vater lag, sah ich, dass man ihm starke Beruhigungsmittel gegeben hatte und wie das Beatmungsgerät Luft in seine Lungen pumpte und aus ihnen saugte. Obwohl er noch immer »lebendig« war, überwältigte mich das Gefühl – eigentlich eher die tiefe Einsicht –, dass seine Seele den Körper bereits verlassen hatte. Er war schon tot.

Ungeachtet der weit verbreiteten Ansicht, die Seele eines Menschen entweiche erst im Augenblick des Todes, bin ich zu der Überzeugung gelangt, dass ihr Abschied diesen Augenblick ankündigt und bestimmt, nicht umgekehrt. Dank der modernen Medizin mag der Organismus ja weiterhin seine Funktionen erfüllen und »lebendig« erscheinen, aber wenn Gott keinen Sinn darin erkennt, die Seele in ihren Körper zurückzuschicken, ist die Person im Grunde tot. Das hatte ich nicht nur während meiner chirurgischen Ausbildung beobachtet; diese Tatsache wird auch belegt durch zahlreiche Beschreibungen von Nahtoderfahrungen, denen zufolge die Seele ihren noch nicht toten Körper verlässt.

Mein Vater war lebhaft, aktiv und körperlich fit gewesen. Er und sein Zwillingsbruder hatten zu den Starläufern der National Collegiate Athletic Association gehört und wurden später in deren Hall of Fame aufgenommen. Meine Gefühle waren gemischt, als ich Gelegenheit hatte, allein neben seinem nun blassen und ein wenig geschrumpften Körper zu sitzen. Ich empfand Freude für ihn – für seine Wiedervereinigung mit Gott – und tat mir selbst ein bisschen leid, weil ich die Notwendigkeit meiner eigenen Rückkehr zur Erde noch immer nicht eingesehen hatte. Ich bedauerte, ihm meine Liebe und Dankbarkeit nicht ein letztes Mal bekunden zu können, und war umso betrübter, dass nie die Möglichkeit bestanden hatte, ihm über meine Erfahrungen im Himmel zu berichten. So hätte ich meinem Vater einen flüchtigen Eindruck von jener Wonne vermitteln können, die ihn bei seiner Ankunft erwartet; davon zu hören hätte ihm sicherlich einen gelasseneren Aufbruch beschert.

Meine Brüder Rob und Bill, meine Schwester Betsy, unsere Stiefmutter und ich standen am Bett meines Vaters, als der Schlauch des Respirators aus seinem Mund entfernt wurde und er langsam seinen letzten Atemzug tat.

Danach kehrten Rob, Bill, Betsy und ich ins Hotelzimmer zurück, wo wir bis spät nachts in Erinnerungen schwelgten, weinten und lachten, während jeder von uns über die in der Kindheit erlebten Abenteuer mit dem Vater erzählte.

Die nächsten Tage verbrachten wir damit, die Buketts und den Ablauf des Gedenkgottesdienstes zu organisieren, obwohl unsere Stiefmutter ihn anders gestalten wollte. Der Gerechtigkeit halber sollte ich sagen, dass meine Geschwister sich um die Organisation kümmerten, während ich im Auto oder an der Stelle wartete, wo sie mich abgesetzt hatten, denn meine Beine steckten nach wie vor unbeweglich in langen Gipsverbänden. Es war äußerst mühsam, den anderen mit der Gehhilfe zu folgen.

Die alte presbyterianische Kirche in Kalamazoo, Michigan, habe ich im 1. Kapitel bereits als stilvoll und prächtig beschrieben. Während der Trauerfeier für meinen Vater tauchte das durch die Buntglasfenster einfallende Licht den Hauptaltar in ein Farbenmeer. Als ich auf der vertrauten Kirchenbank in der ersten Reihe Platz nahm, ließ ich meine Gedanken in die Vergangenheit schweifen, um noch einmal das Erstaunen auszukosten, das ich als Kind beim Anblick jener Fenster immer empfunden hatte.

Mein Vater war weithin bekannt und hoch geachtet, und so schien jeder aus dem Umkreis gekommen zu sein, um ihm die letzte Ehre zu erweisen. Der Gedenkgottesdienst dauerte lang, aber die Trauergäste waren geduldig. Man half mir behutsam, aus dem Rollstuhl aufzustehen und zum Podium zu gehen, wo ich eine der Trauerreden auf ihn hielt. Als dann am Ende die Dudelsäcke *Amazing Grace* spielten, war ich völlig erschöpft.

Auf der Rückreise nach Wyoming musste ich in Cincinnati, Ohio, das Flugzeug wechseln. Gerade als mein Flug nach Salt Lake City aufgerufen wurde, ertönte im Terminal der Feueralarm. Obwohl ich viel gereist bin, habe ich derglcichen noch nie erlebt, und wahrscheinlich wird es mir wohl auch nie mehr widerfahren!

Alle Passagiere wurden aufgefordert, das Gebäude zu verlassen und draußen auf dem Rollfeld zu warten. Ich versuchte, die Anweisungen zu befolgen, hatte aber niemanden, der mir half, inmitten der aufgeregten Menge voranzukommen. Bald erreichte ich im Rollstuhl den Absatz einer sehr hohen Treppe, die zum Rollfeld führte. Während die anderen nach draußen strömten, blieb ich mir selbst überlassen. Das erschütterte mich derart, dass ich zu weinen anfing.

Angesichts meiner verzweifelten Lage verfiel ich in Selbstmitleid. Kein Flughafenangestellter war in Sicht. Fest davon überzeugt, dass Bill unbedingt bei den Kindern in Wyoming bleiben sollte, hatte ich sein Angebot abgelehnt, mich auf der Reise nach Michigan zu begleiten. Es erschien mir unfassbar, nach all dem, was ich durchgemacht hatte, in einem Feuer umzukommen.

Ich besaß nicht einmal ein funktionierendes Handy, um schnelle Hilfe herbeizurufen oder meine letzten Abschiedsgrüße durchzugeben! Erst nach einiger Zeit, die mir wie eine

Ewigkeit vorkam, entdeckte mich ein Angestellter, dem ich meine Notlage erklärte. Woraufhin dieser jedoch nur lapidar erwiderte: »Machen Sie sich keine Sorgen. Dies ist sowieso nur ein falscher Alarm.«

Okay. Gott hatte also weitere Pläne für mich im Sinn.

21

Mein geliebter George

Wenn du auf dein Leben zurückschaust,
wirst du feststellen, dass die Augenblicke,
in denen du wirklich gelebt hast,
genau jene waren, in denen du
im Geist der Liebe gehandelt hast.

Henry Drummond

Kaum war ich nach Jackson Hole zurückgekehrt, kam meine
Mutter, um mich zu unterstützen und Bill zu helfen, für die
Kinder zu sorgen. Am Tag nach ihrer Ankunft erfuhren wir,
dass mein Stiefvater – genauso wie mein leiblicher Vater einige Wochen zuvor – wegen einer Lungenentzündung ins örtliche Krankenhaus eingeliefert worden war. Es handelte sich
nicht um den ersten Vorfall dieser Art, da George an dem
sogenannten myelodysplastischen Syndrom litt, einer Blutkrankheit, die häufig zur Lungenentzündung führt. Auffällig
ist, dass die Lungenentzündung meines Vaters von einer ähnlichen Blutkrankheit hervorgerufen wurde, die er lange mit
sich herumgetragen, aber bis zu seiner letzten Krankenhaus-
einweisung verschwiegen hatte. Ich telefonierte mit Georges
Arzt, der mir versicherte, dass mein Stiefvater offenbar gut
auf die Antibiotika anspreche, weshalb wir uns nicht allzu
viele Sorgen machen sollten.

Ungeachtet dessen überlegten meine Mutter und ich, ob
wir nicht doch nach North Carolina zurückkehren sollten,
um in Georges Nähe zu sein. Während wir uns beim Morgen-
kaffee darüber unterhielten, schwebte ein großer Bartkauz

herab und landete auf dem Geländer der Terrasse vor dem Frühstücksbereich. Da wir eine solche Eule noch nie gesehen hatten, betrachteten wir sie voller Ehrfurcht und Bewunderung. Es sind große und elegante Vögel.

Wir sahen, dass eine unserer Katzen ebenfalls auf der Terrasse war, und fragten uns, wie die beiden aufeinander reagieren würden. Die Katze ging langsam zum Geländer und griff nach dem Bartkauz. Der hätte sie leicht als Imbiss verspeisen können, warf ihr einen flüchtigen Blick zu und beachtete sie dann nicht weiter, um wieder in unsere Richtung zu schauen. Er schien nur an uns Interesse zu haben.

Den ganzen Tag lang und auch in den nächsten Tagen tauchte der Bartkauz auf, um uns zu folgen, während wir uns von einem Zimmer ins andere bewegten. Mein Stiefvater und ich führten am Telefon weiter liebevolle Diskussionen darüber, wer die Hilfe meiner Mutter mehr bräuchte – er sagte *ich*, und ich sagte *er* –, bis ich am Ende der Woche fest entschlossen war, sie nach Hause zu schicken. Als sie ins Taxi stieg, um die Heimreise anzutreten, setzte sich der Bartkauz auf einen Pfahl und starrte mich einfach nur an, wie er es die ganze Woche schon getan hatte. Ich konnte die Intensität seines Blicks nicht ignorieren und glaubte, er würde herfliegen und direkt auf meinem Kopf landen, wenn ich ihm nicht sofort meine ganze Aufmerksamkeit widmete. Der Vogel hatte eindeutig etwas mitzuteilen. Als mir das klar wurde, spürte ich, dass er mich drängte, meine Mutter nach North Carolina zu begleiten.

Zwischen meinem Stiefvater und mir bestand eine sehr enge und wichtige Verbindung. Falls George sterben würde, ohne dass ich ihm beistünde, wäre ich am Boden zerstört und voller Schuldgefühle. Trotz meiner Behinderung und der beschwerlichen Reise in diesem Zustand traf ich die Entscheidung, meiner Mutter Gesellschaft zu leisten. Ich nahm meine Geldbörse, dankte dem Bartkauz mit einem Blick für seine Unterweisung, seine Beharrlichkeit, und zwängte mich ins Taxi.

Die Reise nach North Carolina war ein genauso ehrgeiziges wie anstrengendes Projekt. Wir rasten zum Flugplatz in Jackson Hole, verpassten aber knapp den letzten Flug an diesem Tag. Ein Freund fuhr uns dann freundlicherweise in fünf Stunden zum Salt Lake City Airport, aber den Abend auf der Rückbank seines Pick-ups zu verbringen war, gelinde gesagt, nicht gerade gemütlich.

Als wir endlich im Krankenhaus ankamen und vor das Bett meines Stiefvaters traten, schien er in guter Stimmung. Sein Sohn Larry war ebenfalls zugegen, und wir führten einige wunderbare und innige Gespräche. Tags darauf feierten wir alle in Georges Zimmer den Geburtstag meiner Mutter. Er lachte, fühlte sich großartig und konnte sogar ein wenig von seiner Lieblingsspeise naschen: Kekse.

Meine Mutter und ich waren über seinen Zustand ziemlich erleichtert und am nächsten Morgen bestens gelaunt. Wir saßen am Frühstückstisch, tranken Kaffee und dachten über Georges Gesundheit sowie über seine mögliche Entlassung aus dem Krankenhaus nach. Während unserer Unterhaltung sahen wir durch das Panoramafenster und blickten auf einen hohen, völlig kahlen Birnbaum der Sorte Bradford. Daraufhin erzählte mir meine Mutter die Geschichte dieses Baumes.

Da sie und George die großen rosafarbenen Blüten an den zahlreichen Birnbäumen in ihrer Nachbarschaft so liebten, hatten beide diesen Baum vor vielen Jahren gepflanzt in der Hoffnung, seine alljährliche Farbenpracht zu genießen. Obwohl immer weiter gen Himmel wachsend, hatte er jedoch nie eine einzige Blüte hervorgebracht. Darüber sei George derart bestürzt gewesen, dass er den Baum im nächsten Frühjahr fällen und einen neuen pflanzen wollte. Er mochte Farben ganz besonders und sehnte sich danach, vom Frühstückstisch aus Blüten zu sehen.

Auf der Fahrt zum Krankenhaus waren wir weiterhin voller Zuversicht, stießen dort aber auf eine völlig veränderte Situation. Georges Zustand hatte sich verschlechtert, seine inneren Organe versagten. Gott rief nach ihm, und wir wussten, dass ihm nur noch wenig Zeit auf Erden blieb.

Meine Mutter, Larry und ich beschlossen, ihn mit Würde und Liebe von dieser Welt in die nächste übergehen zu lassen. Wir entfernten den Ernährungsschlauch und verzichteten auf künstliche Beatmung. Dann bekundeten wir George unsere tiefe Liebe und gaben ihm die Erlaubnis zum Aufbruch. Wir umarmten uns und hielten ihn, während sein Geist friedlich die hiesige Welt verließ.

Als wir am nächsten Morgen um den Frühstückstisch saßen und aus dem Fenster schauten, stockte uns der Atem: Der vormals kahle Birnbaum strotzte nur so vor Farben. Innerhalb von vierundzwanzig Stunden hatte er sich in ein Meer großer, herrlicher und vollkommener Blüten in Rosa verwandelt.

Die farbenprächtigen Blüten blieben noch lange hängen, selbst nachdem der Frost die Blüten von den Bäumen in der Nachbarschaft vertrieben hatte. Als dieser Baum schließlich seine Blätter fallen ließ, geschah es zunächst auf der vom Haus abgewandten Seite; erst einige Zeit später löste sich die erste Blüte vor dem Fenster. Welch ein Geschenk von meinem Stiefvater, welch ein Wunder!

Deshalb gab meine Mutter ein Gemälde des Baumes mit seiner Blütenfülle in Auftrag, das sie mir dann schenkte – zum Andenken an George und unsere gemeinsamen Erlebnisse. Ich habe das Bild im Ankleidebereich meines Badezimmers aufgehängt; sobald mein Blick darauf fällt, beschert es mir ein tiefes Gefühl von Ruhe und Zufriedenheit.

Meine Rückreise nach Jackson Hole war wiederum anstrengend, verlief aber ohne Komplikationen. Es gab weder Feueralarm noch irgendein unerwartetes Problem. Als ich endlich die Einfahrt zu unserem Haus erreichte, erschien erneut der große Bartkauz und landete auf einem Pfahl, nur eine Armlänge von mir entfernt. Wir betrachteten uns liebevoll. Mit Tränen in den Augen erkannte ich in diesem Vogel den Engel und dankte ihm für die mitfühlende Unterweisung, die er mir hatte zuteilwerden lassen.

Seither habe ich den Bartkauz nie mehr gesehen. Seine Gegenwart erinnerte mich abermals daran, dass Gott uns liebt, unsere Schritte lenkt und uns auf die eine oder andere Weise immer zur Verfügung steht. Gottes Boten sind wirklich überall und kommen zu uns in der Gestalt, die wir akzeptieren können und werden. Das mag ein großer Bartkauz sein, ein anderes Geschöpf oder ein menschliches Wesen.

Wie ich an früherer Stelle, bei der Schilderung meiner Gespräche mit dem Engel auf einem sonnenüberfluteten Feld im Himmel, bereits erwähnte, sind wir überall von Engeln umgeben. Jeder von uns hat »persönliche« Engel, die Tag und Nacht über uns wachen. Sie helfen uns, drängen uns und führen uns noch auf die unscheinbarste Art und Weise, die wir oft gar nicht bemerken. Manchmal stacheln sie uns an, dann wieder halten sie uns zurück. Stets haben sie den dringenden Wunsch, dass wir dem Weg folgen, den Gott uns vorgezeichnet hat.

22

Inspiration für andere

> *Ich danke dem Herrn von ganzem Herzen*
> *und erzähle alle deine Wunder.*
> *Ich freue mich und bin fröhlich in dir*
> *und lobe deinen Namen, du Allerhöchster ...*
>
> Psalm 9,2-3

Einige Monate später, als mein körperlicher Zustand sich gebessert hatte und mir etwas mehr Bewegung gestattete, wurde ich gebeten, in mehreren örtlichen Kirchen vor Gruppen zu sprechen. Es bestand großes Interesse an meiner Geschichte, und ich war beglückt, über die wundersamen Eingriffe Gottes in mein Leben zu berichten. Seitdem sind Teile dieser Geschichte von vielen Leuten bei ganz unterschiedlichen Gelegenheiten weitererzählt worden. Eine Tonaufnahme meiner ursprünglichen Schilderung zirkuliert bis zum heutigen Tag. Ich betrachte dieses ungebrochene Interesse als Beweis für die Sehnsucht der Menschen, sich durch die Möglichkeit eines göttlichen Eingriffs inspirieren zu lassen und daran zu glauben.

Oft ist es schwierig zu glauben, dass ein allmächtiger Gott sich um jeden Einzelnen kümmern oder die Bereitschaft aufbringen könnte, in unser Leben direkt einzugreifen. Ich bin Wissenschaftlerin. Ich verstehe Zahlen und Statistiken. Ich bin skeptisch und ein bisschen zynisch. Auf diesem Planeten gibt es so viele Geschöpfe Gottes, und jeder von uns ist so klein. Ich frage mich, wie irgendein Individuum im Vergleich zum Universum bedeutsam sein kann und wie Gott imstande sein soll, uns persönlich zu kennen, geschweige denn uns innig zu lieben und sich nötigenfalls für uns einzusetzen.

Ein Wissenschaftler kann die Zeit, den Raum und die Dimension Gottes ebenso wenig erklären wie die Änderungen, die darin stattfinden. Ich kann solche Vorgänge gewiss nicht begreifen, habe sie jedoch am eigenen Leib erfahren und akzeptiere daher, dass jeder von uns ein ganz besonderes und geschätztes Kind Gottes ist. Wir sind Menschen und besitzen nicht die Fähigkeit, Gott zu verstehen oder Einblick zu gewinnen in das, was er kann. Ein simples Beispiel soll dies verdeutlichen: Mangelt es einem Elternteil mit vielen Kindern je an Liebe? Schätzt er ein Kind weniger, nur weil er andere Kinder hat? Oder liebt er etwa jenes Kind, das ihn gelegentlich wütend macht, weniger? Die Antwort auf all diese hypothetischen Fragen lautet natürlich Nein.

Je mehr wir lieben, desto mehr Liebe haben wir zu geben. So verhält es sich auch mit der Liebe, die Gott uns entgegenbringt. Sie ist unerschöpflich.

Gott kennt zweifellos jeden von uns. Das Verb »kennen« ist hier in einem absoluten, vollkommenen und reinen Sinn gemeint: Wie eine Näherin ihr Kleid kennt, wenn sie aus den Samen die Baumwolle gezogen, die Fasern zu Fäden gesponnen, den Stoff gewebt und die Teile zusammengenäht hat, um ein Kleid zu schneidern. Oder wie ein Schreiner den Stuhl kennt, den er in Handarbeit aus einem Baum gefertigt hat, den er selbst gepflanzt, gehegt und schließlich gefällt hat. So kannte auch Gott jeden Menschen, bevor er ihn in den Leib seiner Mutter schickte.

Meine Schilderung inspirierte andere und gab ihnen nicht nur Hoffnung, sondern auch die Freiheit, ihre eigenen Geschichten zu erzählen. Ich weiß nicht, wie viele Leute inzwischen direkt oder telefonisch Kontakt mit mir aufgenommen und um einige Minuten meiner Zeit gebeten haben. Jede Person beginnt das Gespräch fast mit den gleichen Worten: »Ich möchte Ihnen etwas erzählen, das mir passiert ist ... Ich habe noch nie mit jemandem darüber geredet, denn wahrscheinlich würde niemand mir glauben.« Dann berichtet sie mir von dem außergewöhnlichen Erlebnis, Engeln, anderen göttlichen Boten oder Geistern begegnet zu sein. Und jede fühlt sich nach ihren Ausführungen befreit und durch die Unterhaltung mit mir bestätigt.

Das menschliche Gehirn kann sich gut an bestimmte Ereignisse erinnern, oft aber nicht an genaue Details. Wenn man Leute bittet, ihre Hochzeit, die Geburt ihres Kindes oder eine andere wichtige Begebenheit in ihrem Leben zu beschreiben, sind einzelne Nuancen verblasst, und die Geschichte hat sich mit der Zeit wahrscheinlich ein wenig verändert. Denken Sie nur an die Erzählungen der Fischer, in denen der gefangene Fisch immer größer wird, oder an das altbekannte Spiel »Stille Post«, bei dem ein Satz von einem Ohr ins andere geflüstert wird. Die letzte Person in der Reihe spricht dann den Satz laut aus, der von seiner ursprünglichen Fassung oft stark abweicht. Selbst lebhafte Träume bleiben uns selten länger als ein paar Minuten im Gedächtnis.

Ich war Zeugin von Erfahrungsberichten mit wirklich bemerkenswerten und schlüssigen Aspekten, welche die Gegenwart oder den Eingriff Gottes beinhalten und selbst nach langen Zeiträumen unverändert bleiben. Wer eine derartige Erfahrung gemacht hat, erinnert sich stets deutlich und lebhaft an die Einzelheiten des Vorfalls wie auch an die dabei empfundenen Gefühle, als wären sie gerade erst aufgetaucht.

Bei fast jedem, der mit mir gesprochen hat, beginnt die Geschichte mit einer traumatischen Situation. Das ist durchaus einleuchtend, denn leider kommen solche intensiven spirituellen Verbindungen meist nur unter entsetzlichem Druck zustande. Meines Erachtens kann jeder im Grunde die gleiche Erfahrung machen wie ich damals, aber offenbar werden wir unter »normalen« Umständen zu sehr abgelenkt durch die Welt ringsum. Diese Zerstreuungen verschwinden jedoch schlagartig, sobald wir in einer äußerst bedrohlichen Lage sind; dann können wir genau das erkennen, was am wichtigsten ist: unsere Beziehung zu Gott.

Im Alltag ist es meist schwierig, Ablenkungen zu vermeiden und dadurch die Erfahrung mit Gott zu ermöglichen. Paul Hayden, mein Pastor, vergleicht dies mit den Frequenzen im Radio. Wir müssen unsere Seele auf die »richtige Frequenz« einstellen, um die Botschaften zu hören, die Gott uns sendet.

Als ich eines Tages so weit genesen war, dass ich in meine orthopädische Praxis zurückkehren konnte, erschien dort eine Frau, die ich kenne, die aber keinen Termin vereinbart hatte. Sie wusste, dass es mein arbeitsreichster Tag in der Woche war, bestand jedoch auf einem Gespräch. Um diesen Teil der Geschichte zu verstehen, muss man sich vergegenwärtigen, was wir zusammen erlebt haben. Denn kurz nach der Eröffnung meiner Praxis in Jackson Hole war der Mann dieser Frau zu mir gekommen, um sich behandeln zu lassen. Er unterzog sich einer größeren Operation, die ich ausführte und die keinerlei Komplikationen nach sich zog. Sein Genesungsprozess im Krankenhaus verlief reibungslos, er fühlte sich großartig, sodass ich am dritten Tag nach dem Eingriff seine Entlassung vorbereitete.

Ohne mein Wissen hatten mein Patient und seine Frau vor dieser Operation den Bischof der Latter-Day-Saints-Kirche aufgesucht und seinen Segen empfangen. Der Geistliche sagte zu der Frau, sie werde das aufgeben müssen, was sie am meisten liebe, und zu dem Mann, Gott sei sehr zufrieden mit ihm, der Schleier zwischen dieser Welt und der nächsten sei sehr dünn und er werde bald eine Wahl treffen müssen.

Vor der Operation hatten beide über ihre Deutung dieses Segens gesprochen und waren zu dem Schluss gelangt, der Ehemann müsse wählen zwischen dem weiteren Leben auf der Erde und dem körperlichen Tod. Als zutiefst gläubige Menschen wussten sie, dass er sich für Gott entscheiden würde.

Am vierten Tag nach dem Eingriff fiel mein Patient im Badezimmer plötzlich tot um. Später erzählte mir seine Frau, dass er an jenem Tag ständig mit Engeln gesprochen habe, die seinen Ausführungen zufolge bei ihnen im Zimmer saßen. Er fragte immer wieder, ob sie die Engel sehen könne, und war enttäuscht, als sie den Kopf schüttelte. Er versicherte ihr, wie sehr er sie liebe und als Ehefrau schätze, aber dass er nun die Engel begleiten müsse und sie, seine Frau, besuchen werde.

In Anbetracht dieser Umstände und der Tatsache, dass die Frau mehrere Stunden gefahren war, um mich zu treffen, konnte ich ihr die Bitte um eine kurze Unterredung nicht abschlagen. Wir gingen nach draußen, nahmen im Innenhof Platz, und sie entschuldigte sich mehrmals für die Unterbrechung meines Arbeitstages, hatte mir aber etwas höchst Wichtiges mitzuteilen. Sie war nämlich sehr besorgt, dass mir etwas Schlimmes widerfahren werde, weshalb sie mich unbedingt warnen müsse. Nach dem Tod ihres Mannes habe dessen Geist sie manchmal zu Hause besucht und ihr Anweisungen gegeben. Seit vielen Monaten habe sie ihn nicht mehr gesehen, doch letzte Nacht sei er ihr im Traum erschienen.

Bei diesem übernatürlichen Besuch war ihr Mann aufgeregt und glücklich. Er sagte zu ihr, dass ich in einen schrecklichen Unfall verwickelt gewesen sei und dass er den himmlischen Vater gefragt habe, ob er einer von denen sein könne, die zu meiner Rettung ausgesandt werden. Seine Bitte wurde erfüllt, und so war er überaus froh, mich auf meiner Reise zu begleiten und aufzumuntern. Die Frau hatte nichts gewusst von meinem Kajakunfall in Chile, konnte aber den Hergang, der nur den Anwesenden bekannt war, genau beschreiben. Nachdem sie ihre Ausführungen beendet und mich inständig gebeten hatte, vorsichtig zu sein, erzählte ich ihr die Geschichte meines Unfalls. Zwar war sie schockiert über die Vergangenheitsform, nicht jedoch über die Geschichte selbst, da ihr Mann viele Details darin schon genannt hatte.

23

Gott rollt den großen Stein weg

*Das Gebet ist nicht gleichbedeutend mit der
inneren Überzeugung, dass Gott gemäß unseren Wünschen
handeln wird, wenn wir nur fest genug daran glauben.
Vielmehr schließt es den Glauben ein,
dass Gott unsere Gebete immer in der Weise
beantworten wird, wie es seinem Wesen,
seinen Zielen und seinen Verheißungen entspricht.*

Alvin VanderGriend

Nach meinem Kajakunfall hatte ich das Gefühl, nicht zu dieser Welt zu gehören und isoliert zu sein. Das Dasein auf der Erde deprimierte mich, derweil ich mit aller Kraft zu begreifen versuchte, was mir passiert war und was ich mit dem empfangenen Wissen anfangen sollte. Zu diesem Zweck las ich viele Berichte über die Nahtoderfahrungen von anderen Menschen. Die Einsicht, dass meine Gefühle, Reaktionen und Frustrationen nach dieser Art von Erfahrung auch ihnen vertraut sind, tröstete mich ein wenig. Wie so viele, die ihren eigenen Tod erlebt haben, verspürte ich nicht mehr die Anziehungskraft irdischer Belange.

Folglich wurde ich immer toleranter gegenüber dem Verhalten der anderen, doch immer weniger tolerant hinsichtlich meiner Beziehungen zu ihnen. Ich hatte stets die völlige Integrität in meinem Leben erstrebt, nun aber wurde ich förmlich dazu getrieben. Mein Ziel war es, im Privat-, Familien- und Berufsleben eine aufrichtige, tugendhafte und glaubensstarke Frau zu sein. Ich wollte ein von Gebeten erfülltes Leben in

Dankbarkeit und Freude führen und legte zunehmend Wert darauf, meine Zeit mit Gleichgesinnten zu verbringen.

Bill und ich waren von den Einstellungen und Verhaltensweisen unserer Kollegen in der Praxis mehr und mehr enttäuscht. Deshalb hielten wir es dann 2004 für am besten, unsere eigenen Wege zu gehen. Doch das war eine riskante Entscheidung. Es handelte sich um das einzige Orthopädenteam in der Stadt, und jeder Partner hatte eine Vereinbarung unterzeichnet, mit den anderen nicht in Konkurrenz zu treten. Unsere Gründe für einen Austritt waren zwar gerechtfertigt, aber es konnte durchaus sein, dass man auf der Vereinbarung bestehen und uns damit zwingen würde, die Stadt zu verlassen und irgendwo anders nach Arbeit zu suchen.

Diese Ungewissheit machte uns zu schaffen, als wir im Frühjahr zu einem Familienurlaub nach Virgin Gorda aufbrachen, einer der Britischen Jungferninseln. Am Ostermorgen waren wir weiterhin besorgt, doch Gott verspricht uns: »Fürchte dich nicht, ich bin mit dir; weiche nicht, denn ich bin dein Gott. Ich stärke dich, ich helfe dir auch, ich halte dich durch die rechte Hand meiner Gerechtigkeit« (Jesaja 41,10).

Im Einklang mit Gottes Versprechen erwies sich dieser Ostersonntag als Neubeginn für unsere Familie. Wir gingen zu einer Predigt im Konferenzsaal des Ferienortes, wo wir einem dynamischen Priester der Insel lauschten, dessen Charisma die Anwesenden gefangen nahm. Er sprach nicht über die üblichen Themen Jesu Tod und Auferstehung, sondern über die Angst der Wächter am Grab und über die Macht Gottes an diesem Tag der Auferstehung Christi. Er wies darauf hin, dass die Römer, ungeachtet ihrer Behauptung, Jesus sei nichts Besonderes, derart Angst vor ihm hatten, dass sie sein Grab sicher verschlossen und auf allen Seiten Wachen postierten.

Am dritten Tag nach Jesu Tod ereignete sich ein heftiges Erdbeben, während ein Engel des Herrn vom Himmel herabkam und den großen Stein vom Grab wegrollte. Bei der Erörterung dieser Geschichte betonte der Priester: Wenn Gott beteiligt ist, kann nichts verhindern, dass der Stein weggerollt wird. Bill und ich hatten das Gefühl, Gott habe teil an unserem Leben und es sei an der Zeit, unseren großen Stein wegzurollen und frei zu werden.

Nach dem Gottesdienst sandten wir sofort per E-Mail unsere Kündigungsschreiben an den Leiter der Praxis. Die Empfangsbestätigung versetzte uns in Euphorie, und wir feierten den Anbruch unserer unbekannten Zukunft. Innerhalb weniger Monate zogen wir in unsere eigenen Räume um und gründeten eine neue medizinische Praxis.

Wir haben nie mit Bedauern zurückgeschaut. Wenn Gott anwesend ist, geschehen die wunderbarsten Dinge. Unsere Praxis florierte, und als Dr. Alvis Forbes (von dem in Kapitel 18 bereits die Rede war) von seinem Militärdienst im Golfkrieg zurückkehrte, verließ er ebenfalls unser früheres Orthopädenteam und schloss sich uns an. Er ist ein Mann von großer Integrität, der unser Engagement für eine ganzheitliche, an Gott ausgerichtete Lebensweise teilte, und wir wussten, dass wir die richtige Wahl getroffen hatten.

24

Willie

Gottes Plan und seine Mittel, ihn auszuführen,
übersteigen oft unser Begriffsvermögen.
Wir müssen lernen, Vertrauen zu haben,
wenn wir nicht begreifen.

Jerry Bridges

Vieles von dem, was der Engel mir auf dem sonnenüberfluteten Feld mitteilte, hatte mit meinem ältesten Sohn Willie zu tun.

Bevor ich Sie mit ihm bekannt mache, muss ich erneut ausdrücklich auf meine Überzeugung verweisen, dass kleine Kinder sich genau erinnern, woher sie ursprünglich kommen, und mit Gottes Welt weiterhin ziemlich eng verbunden sind. Ich glaube, sie haben noch mühelos Zugang zu den Bildern, Einsichten und Liebesbeweisen jener Welt, die sie vor ihrer Geburt bewohnten. Daher können sie zum Beispiel auch Engel sehen – ein Phänomen, das schon von vielen Autoren beschrieben wurde. Sobald dann tiefere Beziehungen mit der hiesigen Welt entstehen, verblassen diese Erinnerungen, und die jungen Geschöpfe beginnen ihre persönliche, oft von Umwegen und Sackgassen gekennzeichnete Reise, immer wieder auf der Suche nach dem Weg zurück zu Gott. Am Ende müssen sie Gott nicht nur finden, sondern frei entscheiden, seine Liebe und Führung zu akzeptieren. Gott gab den Menschen diese Fähigkeit zur freien Wahl, die uns letztlich verantwortlich macht für unsere Entscheidungen, unsere Handlungen und unser Leben im Ganzen.

Dazu bedarf es zunächst der Erkenntnis, dass die Wahl einzig und allein bei einem selbst liegt, dass sie von nichts und niemand anderem getroffen wird. Außerdem muss man zwischen zwei oder mehreren Alternativen wählen, von denen nur eine zur gegebenen Zeit verwirklicht werden kann. Beispielsweise hat man die Möglichkeit, eine Einladung zum Abendessen entweder anzunehmen oder abzulehnen, beides zusammen geht nicht. Psychologen haben dargelegt, dass diese Unfähigkeit, mehr als eine Alternative gleichzeitig zu wählen, emotionale Konflikte heraufbeschwört. Diese führen im besten Fall dazu, dass die Person ihre Alternativen genauer untersucht und dann die endgültig getroffene Entscheidung mehr zu schätzen weiß, sich stärker mit ihr identifiziert.

Jeder kann beschließen, Gott zu bejahen oder zu verneinen, kann aber nicht beides gleichzeitig tun. Die freie Entscheidung, Gottes Versprechen zu beherzigen, vermag den Glauben eines Menschen so zu festigen, dass er in Zeiten der Qual, der Trauer und dergleichen wahrscheinlich weniger ins Straucheln gerät.

Als ich während meines ersten Krankenhausaufenthaltes nach dem Unfall in Chile mit dem Engel (oder war es Jesus selbst?) auf dem himmlischen Feld sprach, fragte ich ihn auch, warum nicht jedem Menschen eine solche Erfahrung ermöglicht wird, wie ich sie gemacht habe. Auf diese Weise verschwände wohl der Hass, wir wären bessere Verwalter der Erde, würden den Hunger in der Welt beseitigen, keine Kriege mehr führen und uns einander im Alltag besser behandeln.

Ich erinnere mich nicht mehr genau an die Worte des Engels, aber seine amüsierte Antwort ähnelte dem Ausspruch Jesu gegenüber dem ungläubigen Thomas: »Weil du mich gesehen hast, so glaubst du. Selig sind, die nicht sehen und doch glauben!« (Johannes 20,29).

Das soll nicht heißen, dass ältere Kinder und Erwachsene keine Erinnerung an ihren vorgeburtlichen Zustand haben. Offenbar schickt Gott uns zur Erde mit dem tief verwurzelten Bedürfnis nach Geistigkeit und Sinn, und solange es nicht gestillt ist, leben wir in einer seelischen Leere. Einige füllen sie aus mit Gott, andere mit materiellem Besitz, manche mit profanen Begierden, und wieder andere versuchen, diese Leere nicht zu fühlen, indem sie ihre Sinne mit Alkohol oder Drogen abtöten.

Vor dem Hintergrund meines Glaubensverständnisses will ich Ihnen nun den nächsten Teil der Geschichte erzählen. Mein Sohn Willie und ich waren uns immer sehr nah gewesen, und ich fühlte ihm gegenüber stets eine tiefe geistig-seelische Verbindung. Als er klein war, vielleicht vier oder fünf Jahre alt, plauderten wir gern miteinander abends vor dem Einschlafen. Ich weiß nicht mehr, was mich zu dieser Bemerkung veranlasste, aber ich sagte in etwa zu ihm: »Wenn du achtzehn bist ...«

Willie schien bestürzt und erwiderte: »Aber ich werde nicht achtzehn sein ...«

Mit leicht scherzendem Unterton fragte ich ihn: »Was hast du da gesagt?« Er warf mir einen durchdringenden, neugierigen und ungläubigen Blick zu und meinte: »Du weißt schon. Ich werde nie achtzehn sein. Das ist der Plan. Das weißt du.« Er sagte es so, als würde ich ihn veralbern. Gewiss musste ich doch den Plan für sein Leben kennen.

Dieses Gespräch steckte mir wie ein Messer in der Brust. Ich habe es nie vergessen, nie aus meinen Gedanken verbannen können. Daher war mir jeder der folgenden Tage, die ich mit meinem Sohn verbrachte, äußerst kostbar, wobei ich mich immer wieder fragte, welcher wohl sein letzter sein würde.

In den Jahren nach dem Kajakunfall beschäftigten mich die Gespräche mit dem Engel manchmal auch in Bezug auf Willie, und ich überlegte erneut, welche Gründe meine Rückkehr zur Erde veranlasst haben mochten. Angesichts der entschiedenen Aussage meines Sohnes, er würde das achtzehnte Lebensjahr nicht erreichen, nahm ich an, meine Aufgabe bestünde weniger darin, ihn zu beschützen, als darin, nach seinem Tod meinem Mann und den anderen Kindern beizustehen. Um niemanden mit solchen Gedanken zu belasten, behielt ich sie für mich und verlor kein Wort darüber. Das Leben schien zu einem Wartespiel zu werden, aber als das Datum von Willies achtzehntem Geburtstag näher rückte, wurde ich von einer ebenso schmerzlichen wie traurigen Vorahnung ergriffen.

Schließlich erzählte ich Bill von der so viele Jahre zurückliegenden Unterhaltung mit unserem Sohn. Mir war nicht ganz klar, ob er meine Sorgenlast gerne teilte, ich jedenfalls fühlte mich durch dieses Bekenntnis ein wenig besser.

In einer sommerlichen Samstagnacht vor Willies achtzehntem Geburtstag erschien mir im Traum ein Junge, den ich nicht kannte. Er sagte: »Ich habe mit Willie die Plätze getauscht.« Völlig verwirrt und perplex wachte ich auf. Kurze Zeit später erfuhr ich mit Bestürzung, dass am Tag davor ein in unserer Gemeinde beliebter und geachteter junger Mann auf dem Weg zur Schwimmveranstaltung bei einem Autounfall ums Leben gekommen war. Ich fühlte mich schuldig, innerlich zerrissen und voller Trauer über den schlimmen Verlust einer anderen Familie. Zugleich aber war ich erleichtert, dass unsere Familie vielleicht verschont bliebe.

Einige Monate später erhielten wir telefonisch die Nachricht, dass einer unserer lieben Freunde plötzlich und unerwartet in einem Jagdlager gestorben war. Vier Tage später erfuhren wir durch einen ähnlichen Anruf vom plötzlichen und unerwarteten Tod unseres Arztkollegen Alvis. Beide waren reizende Freunde und wunderbare Menschen, die sich viele Jahre lang in Jackson Hole besondere Verdienste erworben hatten. Wir waren am Boden zerstört, die Gemeinde stand unter Schock, und unsere Praxis wurde zum Ort der Trauer.

In unserem Land scheint es keine Begräbnisse mehr zu geben, sondern lediglich »Feiern des Lebens«. Doch die einzigen Menschen, die wirklich Grund zum Feiern haben, sind die Verstorbenen. Sie erleben die Freude, zur Herrlichkeit der Welt Gottes zurückzukehren, während die Hinterbliebenen bei derartigen Anlässen traurig, einsam und nur selten froh sind.

Ich bin nicht abergläubisch, aber Ereignisse treten oft in Dreierreihen ein. Unsere Gemeinde betrauerte drei Todesfälle. War dies ein weiterer Hinweis darauf, dass Willies damalige Vorhersage sich nicht bewahrheiten würde? Diese Frage lag mir einen Monat vor seinem Geburtstag auf dem Herzen, als er, Eliot und Betsy zu einem Skilager in Schweden aufbrachen. Die drei fuhren nach Salt Lake City, wo sie die Nacht verbrachten, um sich am nächsten Morgen zum Flughafen zu begeben.

Nachdem sie das Gepäck aufgegeben hatten, blieben Eliot und Betsy im Flughafen, während Willie zum Hotel zurückfuhr, um dort das Auto stehen zu lassen. Als er unterwegs merkte, dass ihm nicht mehr genug Zeit bleiben würde, den Shuttle zurück zu nehmen, beschloss er, umzudrehen und den Wagen auf dem Parkplatz des Flughafens abzustellen. Auf der Rückfahrt verließ er die Autobahn und stoppte hinter einigen Wagen, die am Ende der Ausfahrt vor einer roten Ampel standen. Sein Fuß rutschte von der Bremse, das Auto bewegte sich einige Meter nach vorn und stieß leicht gegen die Stoßstange des Wagens vor ihm. Er hielt das für kein großes Problem, stieg aber trotzdem aus und ging zu dem anderen Wagen. Dessen Fahrer war weder an den Straßenrand gefahren noch ausgestiegen, öffnete nicht das Fenster und würdigte Willie keines Blicks.

Durch das Verhalten des Mannes verwirrt, kehrte Willie zum eigenen Wagen zurück, lenkte ihn an den Straßenrand und rief mich auf seinem Handy an. Er dachte, der andere habe ihn vielleicht nicht gesehen oder gar nicht bemerkt, dass sein Auto angestoßen worden war. Aber warum blieb er dann stehen? Ich schlug Willie vor, er solle noch einmal zu dem Wagen gehen und an die Scheibe klopfen, um den Fahrer auf sich aufmerksam zu machen. Das tat er dann auch, allerdings mit dem gleichen Ergebnis.

Er schlenderte zu seinem Wagen zurück und rief mich erneut an. Ich empfahl ihm, die Daten unserer Versicherung auf ein Blatt Papier zu schreiben und es dem Fahrer zu geben, während ich am Apparat bliebe, um mit diesem zu sprechen. So hörte ich, wie Willie sich zum dritten Mal dem Wagen näherte und den Mann fragte, ob er mit mir reden würde. Erst geschah nichts, dann wurde ein gellender Schrei ausgestoßen.

Der andere Fahrer hatte eine Pistole gezogen und richtete sie auf Willie. Der erstarrte vor Angst, aber zum Glück war das Telefon an sein Ohr gepresst. So musste ich sein Schreien nicht übertönen, um mit ihm zu kommunizieren. Ich konnte direkt in sein Gehirn hineinsprechen: »Renn weg, steig in deinen Wagen, dreh den Zündschlüssel um, fahr los und halt bloß nicht an!«

Ich weiß definitiv nicht, ob mein Sohn erschossen worden wäre, wenn ich keinen telefonischen Kontakt mit ihm gehabt hätte, als jener Mann die Waffe auf ihn richtete. Fest steht aber, dass ich die einzige Person war, die in sein Gehirn eindringen und ihm Anweisungen geben konnte, die er befolgen würde. Meiner Meinung nach erreichte er an diesem Tag in Salt Lake City eine Abzweigung in seinem Leben, die entweder zu jenem Tod führte, den er viele Jahre zuvor prophezeit hatte, oder zu seinem künftigen Leben.

Ungeachtet der Worte des Engels, dass ich nach Willies Tod ein Fels in der Brandung sein müsse für meine Familie und meine Gemeinde, schien mir, als hätte sich der Plan für meinen Sohn geändert. Da ich am Leben war, blieb auch er am Leben.

25

Bill

Wir wissen aber, dass denen, die Gott lieben,
alle Dinge zum Besten dienen ...

Römer 8,28

Ich wurde auch zur Erde zurückgeschickt, um die Gesundheit meines Mannes zu schützen. Erinnern wir uns, dass kurz zuvor zwei unserer lieben Freunde unerwartet gestorben waren, beide vermutlich an Herzversagen. Sie hatten etwa das gleiche Alter wie mein Mann – dreiundfünfzig Jahre. Wie er waren sie körperlich fit und aktiv, rauchten und tranken nicht und nahmen auch keine weichen Drogen. Keiner von ihnen hätte sterben »sollen«. Der eine wie der andere wurde von seiner Familie geliebt und war tief gläubig.

Ich wollte nicht, dass Bill das gleiche Schicksal widerfährt wie diesen Männern, und drängte ihn daher, sein Herz untersuchen zu lassen. Wäre ich nach meinem Kajakunfall nicht zur Erde zurückgekehrt und da gewesen, um ihm den Anstoß zu geben – Bill hätte nach eigener Aussage derlei wohl noch nicht einmal in Betracht gezogen. Aber ich *war* da, also wurde er untersucht. Im Dezember 2007 ließ er mittels Computertomographie ein sogenanntes Kalzium-Scoring durchführen; das ist eine spezielle, nicht invasive Methode, um die Kalziummenge in den Herzkranzgefäßen und damit das Ausmaß ihrer Verkalkung zu bestimmen.

Die gute Nachricht lautete: Sein Herz sah makellos aus – kein Kalzium, keine Erkrankung der Herzkranzgefäße. Doch als die Ärzte die Aufnahmen machten, hatten sie den Scanner ungenau ausgerichtet. Er war um einen Bruchteil dezentriert, und am äußersten Rand der Bilder entdeckte der Radiologe einen kleinen Knoten in Bills Lungengewebe.

In der Hoffnung, es handle sich um eine Entzündung, wurde er mit Antibiotika behandelt. Zu Hause zerbrachen wir uns den Kopf darüber, ob er irgendwann einmal mit Asbest in Berührung gekommen war, mit Tuberkulose oder anderen Lungenkrankheiten, die an seinem Geburtsort in Südkalifornien häufig beobachtet wurden. Einige Tage später, als eine weitere Computertomographie seiner Lungen keinerlei Änderung aufwies, unterzog er sich einer CT-gestützten Biopsie. Diese offenbarte einen bösartigen Tumor in der Lunge.

Wir vereinbarten, dass dieser sogleich auf thorakoskopische Weise entfernt werden sollte. Bereits einen Tag nach dem Eingriff verließ Bill das Krankenhaus und ging dann für eine Woche zum Skifahren, ohne sich zu überanstrengen. Seine Genesung verlief reibungslos, und die nachfolgenden CT-Scans bestätigten: Es waren keinerlei neue Symptome aufgetreten. Der positive Ausgang ist höchstwahrscheinlich darauf zurückzuführen, dass der Tumor zum Zeitpunkt seiner Entdeckung noch sehr klein war.

Ständig werden wir dazu angehalten, jedes Ereignis isoliert zu betrachten und für »zufällig« oder »glücklich« zu halten. Fasst man jedoch die gesamte Abfolge von Ereignissen ins Auge, lässt sich kaum ausschließen, dass sie einen wundersamen Zusammenhang aufweist. Wären unsere beiden Freunde nicht gestorben, hätte ich nicht auf Bills Herzuntersuchung bestanden. Wäre ich in dem chilenischen Fluss umgekommen, hätte er sich wahrscheinlich nicht um eine solche bemüht. Wäre der Scanner nicht ungenau ausgerichtet gewesen, hätte man den Tumor in der Lunge nicht früh genug entdeckt, um ihn erfolgreich behandeln zu können. Wäre er nur zwei Millimeter kleiner gewesen, hätte das Gerät ihn nicht erfasst. Wäre er nur drei Millimeter größer gewesen, hätte Bill sich in einer statistisch viel bedrohlicheren Kategorie befunden und mit einer weitaus ungünstigeren Prognose rechnen müssen. Ohne meine Rückkehr aus dem Himmel und Bills Heilung wären unsere vier Kinder Waisen geworden.

Zu jener Zeit ging ich davon aus, dass ich zu ebendiesem Schutz meiner Familie auf die Erde zurückgeschickt worden war.

26

Chad

*Denn aus Gnade seid ihr gerettet
worden durch den Glauben,
und das nicht aus euch:
Gottes Gabe ist es ...*

Epheser 2,8

Chad Long war ein entzückender junger Mann, den ich vor
meiner Reise nach Chile noch gar nicht recht kannte. Auch
ihm zuliebe erfolgte meine Rückkehr zur Erde, denn mir
wurde mitgeteilt, dass ich bei seiner Entwicklung zum gott-
gläubigen Menschen eine wichtige Rolle spielen würde. Jah-
relang hatte mich diese Botschaft in große Verwirrung ge-
stürzt, weil ich ihn bereits für einen solchen hielt. Er war in
eine christliche Familie hineingeboren worden, hatte eine
überzeugte Christin geheiratet und scheute nie davor zurück,
über den Platz Gottes in seinem Leben und dem seiner Familie zu sprechen. Obwohl die Worte des Engels in meinem Innern widerhallten, konnte ich mir eigentlich nicht vorstellen,
was ich zu Chads Glauben beitragen könnte.

Vor der Niederschrift dieses Buches führte ich mit jedem
Mitglied der Familie Long mehrere Einzelgespräche. Ich bat
sie, ihre Erinnerungen an den Hergang des Kajakunfalls und
die dabei empfundenen Gefühle zu schildern – ohne Unter-
brechungen oder Kommentare meinerseits. Chad teilte mir
seine Darstellung der Geschehnisse mit, und als er die Wirkung beschrieb, die sie auf sein Leben hatten, kam zum Vor-

schein, dass er in den Jahren vor der Reise nach Chile »in einer misslichen Situation« gewesen war. Denn er war nicht der Mensch, der er gerne sein wollte, und hatte das Gefühl, unter dem uralten Kampf zwischen Gott und Satan zu leiden. Vor dem Aufbruch nach Chile im Winter 1999 machte ihm eine ungesunde Beziehung schwer zu schaffen, und er belog sich selbst ebenso wie andere, was seine persönliche Entwicklung anging.

Nach jenem Aufenthalt in Chile, bei dem Bill und ich zugegen waren, kehrte er mit all den Erinnerungen an meinen Unfall nach Idaho zurück – zugleich aber auch in die gleiche ungesunde Beziehung und die gleiche ungute Atmosphäre, die er verlassen hatte.

Er rang mit seinem Glauben, besonders mit der Frage, wie er ein gottgefälliger Mensch sein könne. Wenn er sich gestattete, über die mit meinem Unfall verbundenen Erfahrungen und Wunder nachzudenken, begann er zu verstehen und zu glauben, dass wunderbare, ja übernatürliche Dinge geschehen können, wenn man die irdische Logistik aufgibt, im Glauben lebt und die Kontrolle Gott überlässt. Ohne Gott, sagte er, seien unsere Alternativen stark eingeschränkt.

Mein Kajakunfall markiert für ihn einen wichtigen Wendepunkt in seinem Leben – den Punkt, an dem er sich unbehaglich fühlte in seinem Glauben und Behagen fand in seiner Beziehung zu Gott. Dies hatte zur Folge, dass er ganz bewusst die notwendigen Änderungen vornahm, um ein integres, spirituell ausgerichtetes Leben zu führen.

Chad ist nun mit Gott versöhnt, hat keine Angst mehr, andere Leute durch seine Offenheit in Glaubensfragen vor den Kopf zu stoßen, und vertraut darauf, dass Gott sein Leben lenkt. Das Gespräch mit ihm über die Auswirkungen meines Unfalls auf sein Leben beseitigte jene lang anhaltende Verwirrung, die die Worte des Engels in mir ausgelöst hatten. Ich bin zutiefst dankbar, ein Instrument gewesen zu sein, durch das Gott nach Chad rief.

27

Schreibzwang

Deine Ohren werden hinter dir
das Wort hören: »Dies ist der Weg; den geht!
Sonst weder zur Rechten noch zur Linken!«

Jesaja 30,21

Unser Haus ist voller Leben, geprägt von hektischer Betrieb-
samkeit. Jeder von uns hat verschiedene Interessen und Pro-
jekte, wodurch der Alltag aufregend, abwechslungsreich und
befriedigend ist, wenn auch nicht immer vorhersehbar. Im
Frühjahr 2009 hatte ich das Gefühl, den zahlreichen Erwartungen, die Gott in Bezug auf mein Leben hegt, entsprochen
zu haben, und war mit mir im Reinen. Mein Mann erfreute
sich bester Gesundheit, unsere drei jüngeren Kinder waren
rege und glücklich und entwickelten sich zu wunderbaren
Menschen. Und auch Willie, unser ältestes Kind, blühte förmlich auf.

In der Phase nach seinem achtzehnten Geburtstag führte
er ein fröhliches, wenngleich ungestümes Leben. Er hatte eine
großartige Saison im Skilanglauf, gewann seine siebte und
achte Meisterschaft im Bundesstaat Wyoming (ein Rekord,
der ihm einen Artikel in der Zeitschrift *Sports Illustrated* unter der Rubrik »Faces in the Crowd« [Gesichter in der Menge]
eintrug). Außerdem erweiterte er die von ihm gegründete,
dem Gemeinwohl dienende Umweltorganisation, um sein
Programm »Gegen die Untätigkeit« durchzusetzen, und gewann dafür die Unterstützung vieler örtlicher Unternehmen.
Er war fest davon überzeugt: Indem man Leute dazu ermun-

tert, eine bewusste, umweltgerechte Entscheidung zu treffen – beispielsweise im Stau den Automotor auszuschalten –, werden sie auch über ihre anderen Entscheidungen genauer nachdenken. Selbst kleine Entscheidungen können in ihrer Gesamtheit einen Unterschied bewirken. Er glaubte, jeder von uns sei eine »winzige Welle der Hoffnung«, wie Robert Kennedy es 1966 in seiner Rede an der Universität von Kapstadt, Südafrika, formuliert hatte:

Es sind die unzähligen Akte der Hoffnung und des Glaubens, welche die Menschheitsgeschichte prägen. Jedes Mal, wenn ein Mensch für ein Ideal eintritt oder handelt, um das Los der anderen zu verbessern, oder die Ungerechtigkeit bekämpft, sendet er eine winzige Welle der Hoffnung aus; diese Wellen, aus einer Million verschiedener Zentren der Energie und des Wagemuts hervorgegangen, überlagern sich und bilden zusammen einen Strom, der die mächtigsten Mauern der Unterdrückung und des Widerstands niederreißen kann.

Willie war fasziniert vom politischen Prozess, den er als ein Mittel zum gesellschaftlichen Wandel betrachtete. 2008 wurde er, erst achtzehn Jahre alt, von den Mitgliedern unserer Gemeinde zu einem der Delegierten von Wyoming gewählt und zur Versammlung der Demokratischen Partei in Denver, Colorado, entsandt. Seine Aufrichtigkeit, seine Energie und sein nie versiegender Strom von Ideen im Sinne einer verantwortungsbewussten Lebensweise und friedlicheren Welt waren in hohem Maße ansteckend. Er arbeitete leidenschaftlich daran, die bestehenden Verhältnisse zu ändern, und inspirierte jene in seiner Nähe, Probleme in Angriff zu nehmen, sich zu engagieren und dabei zu besseren Menschen zu werden. Es spielte für ihn keine Rolle, was den Einzelnen umtreibt; er wollte einfach, dass die Leute zur Tat schreiten und einen Unterschied bewirken. Ich bewunderte seine Leidenschaft und hätte von dem Mann, zu dem Willie sich entwickelte, nicht entzückter sein können.

Trotz meiner durchaus berechtigten Zufriedenheit war mir klar, dass ich zumindest noch eine große Aufgabe zu bewältigen hatte, bevor ich wirklich gelöst in Gottes Gegenwart ruhen konnte: Ich sollte meine Lebensgeschichte durch das gesprochene und das geschriebene Wort mit anderen teilen. Die zahlreichen Erfahrungen meines Lebens, meines Todes und meiner Rückkehr ins Leben waren mir zuteilgeworden, damit ich Menschen helfe, nicht mehr zu zweifeln und einfach zu glauben – nämlich dass das geistige Leben wichtiger ist als das körperliche; dass Gott in unserem Dasein und unserer Welt gegenwärtig und am Werk ist; dass jeder von uns ein wunderbarer Teil der äußerst vielschichtigen Schöpfung ist; und dass es so etwas wie »Zufall« nicht gibt.

Ich wusste schon, was ich tun sollte, hatte jedoch nicht den Wunsch, es zu tun.

In den Jahren nach meinem Kajakunfall befolgte ich mühelos Gottes Anweisung, stets frohgemut zu sein, unaufhörlich zu beten und in allen Situationen Dankbarkeit zu zeigen. Meine Erfahrungen mit Gott waren in jedem Atemzug spürbar (ich nannte sogar mein neues Fahrrad »Lebensatem«). Nie hörte ich auf, für die Segnungen zu danken, die ich empfangen hatte; aber ich war nicht in der Stimmung, darüber zu schreiben. So verstärkte sich das Schuldgefühl, dass ich meine Aufgabe nicht erfüllte, sie eher als Pflicht denn als Privileg ansah und den Erwartungen, die Gott mir gegenüber zu hegen schien, nicht gerecht werden konnte. Der Druck, meine Geschichte niederzuschreiben, wurde immer größer, doch ich verbannte dieses Projekt ans Ende der Liste mit Dingen, die ich erledigen musste oder wollte ... die Garage aufräumen, die nicht mehr benutzten Kleidungsstücke aus dem Schrank herausnehmen, die Weihnachtskarten rechtzeitig verschicken, mit meiner eigenen Familie häufiger in Verbindung treten, die Fotos in die Alben kleben usw.

Da ich zum Zaudern neige, ging mein Leben wie gewohnt weiter, bis ich schließlich im Frühjahr 2009 während der frühen Morgenstunden ziemlich unerwartet von dem übermächtigen Drang geweckt wurde, meine Geschichte in Worte zu fassen. Er verzehrte mich völlig. Jeden Morgen sprang ich dann um vier oder fünf Uhr (die einzigen Stunden, in denen ich ungestört schreiben konnte) aus dem Bett und wunderte mich, wie mühelos die Worte aus mir heraus und auf den Bildschirm des Computers flossen. Mehrere Stunden lang schrieb ich fieberhaft, um anschließend die routinemäßigen Tätigkeiten zu verrichten und die Familie auf Schule und Arbeit vorzubereiten. Innerhalb einer Woche war der erste Entwurf beendet. Ich fühlte mich ausgelaugt, feilte aber noch an einigen Passagen, ehe die Motivation mir dann erneut abhanden kam.

Es war für meine Familie eine ereignisreiche Phase, weshalb ich das Manuskript einige Monate vernachlässigte und mich voll und ganz auf die üblichen Aktivitäten konzentrierte. Peter beendete gerade sein zweites Jahr auf der Übergangsschule für die Zwölf- bis Dreizehnjährigen, Betsy ihr erstes Jahr auf der Mittelstufe, und Eliot dachte über seine Studienfächer nach, während er die Abschlussprüfung an der Highschool vorbereitete. Willie lebte vorübergehend in Washington, D.C., und genoss all das, was die Stadt zu bieten hat. Bill und ich arbeiteten weiter in unserer orthopädischen Praxis und versuchten, die Zeitpläne aller Familienmitglieder miteinander in Einklang zu bringen.

Willie beendete seinen Aufenthalt in Washington und kehrte nach Wyoming zurück, um Eliots Abschlussprüfung am 29. Mai 2009 mit uns zu feiern.

Am darauffolgenden Wochenende würden die Brüder Jackson Hole verlassen, um ihr nächstes Abenteuer zu beginnen, nämlich quer durchs Land zu fahren, dann im nördlichen Maine zusammenzuwohnen und sechs Monate lang am Skitraining des Maine Winter Sports Club teilzunehmen.

Am Tag vor ihrer Abreise stellte Willie mir allgemeine Fragen zum Testament. Er wollte wissen, wer es aufsetzt, welche Gründe dafür sprechen und ob er das seine machen solle. Außerdem war er brennend daran interessiert, ob ich für ihn eine Lebensversicherung abgeschlossen hätte und – auf meine Mitteilung hin, derlei sei mir nie in den Sinn gekommen – wie ich dies nachholen könne. Er ließ mir wirklich keine Ruhe damit. Obwohl es mich seltsam berührte, eine solche Unterhaltung mit einem kerngesunden Neunzehnjährigen zu führen, versicherte ich ihm, mich darum zu kümmern.

Ich bin innerlich ausgeglichen und habe mich nie besonders aufgeregt, wenn eines meiner Kinder ein neues Projekt begann oder sich in ein Abenteuer stürzte. Ich habe mich immer für sie gefreut und gewusst, dass wir ungeachtet der Umstände in Verbindung bleiben würden. Doch an diesem Morgen, als meine beiden Jungs nach Maine aufbrachen, war es anders. Willies Subaru war bis oben hin vollgeladen mit dem größten Teil ihrer weltlichen Habe, und als ich beobachtete, wie sie ihre letzten Vorbereitungen trafen, stiegen mir Tränen in die Augen. Ich weiß nicht genau, warum, aber es erinnerte mich an den Moment, als ich Willie zu seiner ersten Vorschulklasse brachte. An jenem Tag, der jetzt in ein anderes Leben zu gehören scheint, gab er mir einen Kuss, wandte sich dann selbstbewusst von mir ab und betrat das Klassenzimmer. Während ich ihn seiner Zukunft entgegenschreiten sah, überwältigte mich die symbolische Bedeutung dieser Szene, und ich war derart erschüttert, dass ich fast auf dem ganzen Heimweg weinte.

Beim Abschied versicherte ich ihnen immer wieder, wie sehr ich sie liebe, forderte sie auf, vorsichtig zu fahren, mich von unterwegs anzurufen … eben das zu tun, was Mütter in solchen Augenblicken gemeinhin empfehlen. Während der Umarmung brach ich in Tränen aus und konnte meine Söhne fast nicht loslassen. Ich erinnere mich, Willie ein bisschen länger als üblich gehalten, ihm direkt in die Augen geschaut und noch einmal bekräftigt zu haben, wie innig ich ihn liebe und was für ein außergewöhnlicher junger Mann er geworden war. Ich sagte zu beiden, wie stolz Bill und ich auf sie seien und welch großartiges Abenteuer sie zusammen erleben würden.

Sie fuhren los, und obwohl ich dann jeden Tag mehrmals mit ihnen telefonierte, fühlte ich mich äußerst unwohl. Vielleicht wartete ich beklommen auf eine Zukunft, die ich bereits vorhergesehen hatte.

28

Der längste Tag des Jahres

Und siehe, ich bin bei euch alle Tage
bis an der Welt Ende.

Matthäus 28,20

Die Jungs erreichten Fort Kent, Maine, und gewöhnten sich schnell ein. Sie wohnten mit mehreren anderen Athleten im Trainingszentrum und waren begeistert vom sportlichen Programm. Sie trainierten hart und amüsierten sich prächtig, wenn sie die Umgebung erkundeten.

Unsere Freunde Sophie und Derek, deren Kinder mit den Jungs die gleiche Schule besucht hatten, besitzen unweit jenes Ortes eine Fischerhütte. Sie liegt auf kanadischem Gebiet, am Ufer des Grand Cascapedia River. Das Leben dort verläuft geruhsam, man geht schwimmen oder angelt vom Kanu aus, widmet sich dem Spiel oder der Herstellung von Ahornsirup, der in herzförmigen Flaschen angeboten wird, und erzählt abends Geschichten rund ums Lagerfeuer. Sophies und Dereks Familie verbringt in der Gegend regelmäßig einen Teil des Sommers und lud meine Söhne zu einem Besuch ein, was denen natürlich sehr gelegen kam.

Eines Nachmittags saß Willie mit Sophie und ihren beiden Retrievern Rusty und Lucky in einem Kanu und angelte im Fluss. Sophie ist eine außergewöhnlich liebevolle und hilfsbereite Person, die Willie gern lauschte, wenn er über seine zahlreichen Zukunftsideen sprach, und ihn darin bestärkte. Wohlwissend, dass er voller Tatendrang steckte und sich normalerweise in extrem hohem Tempo bewegte, stellte sie überrascht fest, dass er nun ein ruhiger und anmutiger Angler war. Er langweilte sich nicht und schien auch gar nicht daran interessiert, einen Fisch zu fangen. Er genoss einfach die herrliche Umgebung, das Auf und Ab der Wellen, während er mit ihr plauderte.

Wie aus heiterem Himmel fragte er, was sie über die Seele wisse. Sophie erwiderte, dass die Seele ihrer Auffassung nach das Wesen des Seins ausmache und in direkter Verbindung mit Gott stehe. Unsere Seelen seien zeitlos und kämen zur Erde, um etwas dazuzulernen oder die geistige Entwicklung des Individuums voranzutreiben.

Diese Gedanken erregten offenbar seine Aufmerksamkeit, und so stellte er einige weitere Fragen, um dann schweigsam über Sophies Antworten nachzudenken. Anschließend sagte Willie, wie glücklich er sei und wie dankbar für das wunderbare Leben, das er geführt habe.

Bald paddelten sie zu der Stelle am Ufer, wo Sophies Sohn stand. Als beide aus dem Kanu stiegen, bewunderte sie seine Fähigkeit, von ihrem tiefsinnigen Gespräch über die Seele mühelos überzugehen zum ausgelassenen Spiel mit seinem Freund. Am nächsten Morgen aß Willie wie üblich seine fünf Scheiben Speck, vier Eier, zwei Scheiben Toast und ein paar Pfannkuchen mit hausgemachtem Ahornsirup, ehe er zusammen mit Eliot nach Fort Kent zurückkehrte und das Skitraining wieder aufnahm.

In den frühen Morgenstunden des 21. Juni 2009 verspürte ich erneut den unwiderstehlichen Drang und enormen Druck, die Arbeit am Manuskript abzuschließen. Bis zum frühen Nachmittag hatte ich das geschafft, was ich für die Endfassung hielt. Die Hochstimmung, die mich ergriff, als ich auf »Speichern« klickte und dann meinen Computer ausschaltete, hatte ich vorher nie empfunden und kann sie kaum angemessen beschreiben. In meiner Seele fand eine Explosion der Freiheit statt. Ich fühlte mich federleicht, großartig und glücklich. Ich war zutiefst beglückt, diese Aufgabe in Angriff genommen zu haben, und dankbar für die Erfahrungen, die zu ihr geführt hatten. Ich hatte Gott gehorcht. Das Leben schien nicht besser sein zu können.

Noch immer erfüllt von dieser Unbeschwertheit, fuhr ich später an jenem Tag mit meinem jüngsten Sohn Peter in die Stadt. Wir beschlossen, Eliot ein wenig zu necken, und riefen ihn vom Auto aus an. Ich muss versehentlich auf den Lautsprecherknopf meines Telefons gedrückt haben, denn als sich eine mir unbekannte Stimme meldete, konnte auch Peter deren Worte hören.

Wir fragten nach Eliot, aber der Mann am anderen Ende nannte uns seinen Namen und sagte, Eliot könne jetzt nicht sprechen. Obwohl er keineswegs amüsiert schien, dachten wir, er wolle lustig sein. Da ich seinen Namen nicht wiedererkannt hatte, hielt ich ihn für einen der anderen Skiläufer im Trainingsprogramm. Ich bat ihn, nicht mehr herumzualbern und das Telefon an Eliot weiterzureichen. Er wiederholte seinen Namen (er war einer der Skilehrer der Jungs) und teilte mir mit, dass Willie in einen Rollskiunfall verwickelt gewesen und dabei ums Leben gekommen sei.

Während ich die aufsteigende Panik zu beherrschen versuchte, die mein Denken trübte und mir die Kehle zusammenschnürte, forderte ich den Mann auf, seine Scherze zu unterlassen, das sei nicht lustig, und bat ihn erneut, das Telefon jetzt bitte Eliot zu übergeben. Dieser Dialog wiederholte sich mehrmals, während ich sofort umkehrte und nach Hause raste. Ich konnte die Worte, die er sagte, wirklich nicht verstehen.

Kurz darauf rannte ich ins Haus und schrie nach meinem Mann ... Er sollte »mit diesem Mann reden, weil ich nicht mal kapiere, was der sagt!«.

Unsere Welt hatte sich für immer verändert.

29

Mein wunderbarer Sohn

Seid stille und erkennet,
dass ich Gott bin!

Psalm 46,11

Auf der anderen Seite des Landes hatte derselbe Tag mit einem ähnlichen Gefühl von Freude begonnen. Willie verbrachte den Morgen mit Eliot, am Nachmittag trafen sie ihre Freundin Hilary (eine weitere Skiläuferin) in deren Zuhause in Fort Fairfield. Beide wollten zunächst ein rostiges altes Fahrrad reparieren, das sie früher im Sommer auf einem Garagenflohmarkt erstanden hatten, dann ein paar Stunden Rollski fahren und hinterher mit Hilarys Familie zu Abend essen.

Wer Rollskis nicht kennt, muss wissen, dass sie ein Mittelding zwischen Roller und Langlaufski sind und insbesondere von Skilangläufern zum Sommertraining benutzt werden. An jedem Ende des Holms, auf den eine Bindung montiert ist, befindet sich ein kleines Rad aus Kunststoff. So kann man auf Wiesen oder Bürgersteigen »Ski fahren«, entweder mit Stöcken oder ohne, die Ausdauer trainieren und an seiner Technik feilen, auch wenn kein Schnee liegt.

Am 21. Juni 2009 war Sonnenwende, der längste Tag des Jahres, und in Neuengland herrschte vorzügliches Wetter. Als die drei auf Rollskis einen Friedhof passierten, erzählte Willie seiner Kameradin die Geschichte, dass er in der Kindheit zu mir gesagt hatte, er würde seinen achtzehnten Geburtstag nicht erleben, und wie ich dann an diesem Geburtstag um vier Uhr morgens in sein Hotelzimmer in West Yellowstone kam, einfach um nachzuprüfen, ob er tatsächlich lebte, und ihn fest in die Arme zu schließen.

Sie sprachen über den Tod und darüber, welche Bedeutung er für beide hatte. Willie beschrieb ziemlich genau seine diesbezüglichen Gefühle und teilte Hilary mit, was im Falle seines Todes geschehen solle. Zum Beispiel nannte er ausdrücklich den Wunsch, eingeäschert zu werden. Die Erdbestattung widersprach seiner Liebe zum Planeten und seiner Leidenschaft, ein verantwortungsbewusster Verwalter des Landes zu sein.

Auf halber Strecke zu ihrem Ziel fuhren sie einen Hügel hoch, der Aussicht gewährte auf einen herrlichen Fluss. Die Sonne näherte sich dem Horizont, ihre goldenen Strahlen spielten auf dem Wasser, den Bäumen, den fernen Hügeln und tauchten die Landschaft in magischen Glanz. Sie hielten inne, um dieses großartige Schauspiel tief in sich aufzunehmen. Als sie sich wieder in Bewegung setzten, lautete Willies letzte Bemerkung: »Wäre das nicht ein unglaublicher letzter Anblick, wenn wir jetzt sterben würden?« Weniger als drei Minuten später war er tot.

Erik, ein Junge aus Fort Fairfield, der einige Wochen zuvor seinen achtzehnten Geburtstag gefeiert hatte, hatte beschlossen, an diesem Abend »einfach herumzufahren«. Als sich sein Auto jener Straße näherte, auf der Willie und Hilary Rollski fuhren, hörten beide das Motorgeräusch und schwenkten so weit wie möglich nach rechts. Sie fuhren am Straßenrand weiter in der Erwartung, dass der Wagen vorbeifahren würde. Diese Situation hat jeder Skilangläufer während seines Trainings außerhalb der Saison schon unzählige Male erlebt. Aber sie konnten nicht wissen, dass Erik durch sein Mobiltelefon abgelenkt wurde. Er hätte Willie und Hilary in einem

Abstand von fast vierhundert Metern sehen können, wäre er beim Fahren aufmerksam gewesen; so aber sah er gar nichts.

Erik verfehlte Hilary, die wenige Zentimeter hinter Willie herfuhr. Erschrocken schaute sie auf und beobachtete mit Entsetzen, wie der rasende Wagen von hinten gegen Willie prallte. Mein wunderbarer Sohn war auf der Stelle tot.

30

Die andere Seite der Zeit

Lass mich am Morgen hören deine Gnade;
denn ich hoffe auf dich.
Tu mir kund den Weg, den ich gehen soll;
denn mich verlangt nach dir.

Psalm 143,8

Dank Gottes Gnade und der liebenswürdigen Unterstützung
eines uns bekannten Philanthropen im Ort wurden Bill, Peter, ich selbst, der Pastor unserer Familie sowie unsere ge-
schätzten Freunde Dave und Ellen – die in ihrer beruflichen
Laufbahn »zufällig« gerade den Punkt erreicht hatten, wo sie
alles stehen und liegen lassen konnten, um unvermittelt auf-
zubrechen – am 21. Juni 2009 gegen Mitternacht in einer pri-
vaten Propellermaschine durch die tiefschwarze Nacht Richtung Maine geflogen.

Unsere Tochter Betsy, die gerade Freunde in Vermont besuchte, wurde von ihnen nach Fort Fairfield gefahren. Eliot
blieb bei der Familie von Hilary. Nach einer unfassbaren
Nacht erwarteten sie uns am Flughafen, als wir am frühen
Morgen dort ankamen.

Willie war sofort tot, wurde also nicht ins Krankenhaus
eingeliefert. Wir fuhren direkt zum Bestattungsunternehmen
und verbrachten lange Morgenstunden damit, das Blut von
seinem zerbrochenen Körper zu waschen, ihn mit unseren
Tränen und unserer Liebe zu salben.

In dieser ganzen Zeit unvorstellbarer Trauer hielt Gott uns
sanft, trug und liebte uns.

Wir besuchten den Unfallort, wo vielerlei Gefühle mich überwältigten, während wir ihn langsam untersuchten und jedes Detail verinnerlichten. Mein erster Eindruck war: Willie ist gar nicht da. Ich konnte keine innere Verbindung zu dem Ort herstellen, keine emotionale Reaktion empfinden.

Es schien, als habe hier einfach Willies Geist diese Welt verlassen. Dann kam mir der Gedanke, dass er für uns die beste Stelle ausgesucht hatte, denn sie war zugänglich, überschaubar und schön. Sein zerdrückter Körper war in einem Bereich mit blühenden wilden Alpenrosen gelandet, der Aussicht gewährte auf das Tal mit seinem gewundenen Flusslauf und den sanft ansteigenden grünen Hügeln.

Ich weiß nicht genau, warum das für mich wichtig ist, aber der Ort, wo Willie starb, war so bemerkenswert, wie man es sich nur wünschen konnte. Gott nahm unseren Sohn, doch da war kein »Sensenmann«. Ich glaube, er hat seinen sanftesten und liebevollsten Engel geschickt, um Willies Seele zu holen und ihn zum Himmel zu geleiten.

Die Tage in Fort Fairfield vergingen wie im Zeitlupentempo, mit einem deutlich veränderten Sinn für die Realität. Unser Glaube, unser Pastor und unsere Freunde leisteten Beistand und vermittelten jene ebenso entschiedenen wie einfühlsamen Unterweisungen, dank deren wir uns aufrecht halten konnten. Ohne diese Menschen und die uneingeschränkte innere Zustimmung, dass all unsere Leben Teil von Gottes umfassendem Plan sind, wäre es nahezu unmöglich gewesen, die Fahrt nach Maine und die nicht minder aufwühlende Heimreise mit Willies Asche zu ertragen.

In Maine waren wir vor Menschen und Telefonanrufen geschützt gewesen. Auf der Rückfahrt aber wuchs unsere Angst, was die nächsten Tage und Wochen bringen mochten. Wir hatten kein Bedürfnis, irgendjemanden zu sprechen oder zu sehen, und wollten einfach nur in unserer isolierten Welt des Schmerzes bleiben. Daher berührte es uns zutiefst, sofort nach der Ankunft durch die ebenso sorgsame wie mitfühlende Unterstützung von Freunden und Nachbarn aus dieser Welt herausgezogen zu werden: Sie hatten unsere vordere Veranda liebevoll mit blühenden Pflanzen geschmückt.

Willie schätzte deren Schönheit ganz besonders, war aber nie ein großer Anhänger von Schnittblumen, weil sie einem vergänglichen Zweck dienen – abgeschnitten und nur für kurze Zeit bewundert, werden sie schließlich weggeworfen wie Müll. Die Entscheidung unserer Nachbarn, hauptsächlich Topfpflanzen zu installieren, ehrte Willie und war für uns ein visuelles Zeichen ihrer Liebe.

Die Topfpflanzen nahmen mir förmlich das Versprechen ab, mit ihnen in der Woche darauf einen Garten anzulegen. Ich musste nur beschließen, an welcher Stelle das geschehen sollte. Unser Anwesen umfasst etwa zweieinhalb Hektar früheren Farmlands. Abgesehen von wilden Gräsern besteht die Vegetation lediglich aus Bäumen, Sträuchern und Flecken mit Ziergräsern, die wir beim Bau des Hauses zur gärtnerischen Gestaltung gepflanzt haben. Diese ist nicht allzu weit gediehen, aber ich habe es immer genossen, auf dem Grundstück herumzuwandern und die Flora zu studieren. Willie und ich teilten dieses Vergnügen oft und erfreuten uns an den vielen Veränderungen in Farbe, Form und Fülle der verschiedenen Gewächse, während die Natur die Zyklen ihrer Jahreszeiten durchlief.

In den Tagen nach unserer Rückkehr aus Maine waren diese Spaziergänge die einzige Tätigkeit, die meinem erschütterten und gebrochenen Geist ein wenig Ruhe bescherte. Dabei versuchte ich wieder einmal, in meinem Leben einen Sinn zu entdecken, überlegte, was ich beim Gedenkgottesdienst für meinen Sohn sagen würde, und prägte mir jeden Teil des

Anwesens ein, um seinem blühenden Garten den richtigen Platz zu geben. Als ich eines Morgens an einer kleinen Gruppe von Weidenbäumen vorbeiging, sah ich mit großer Überraschung, dass der Bereich ringsum und zwischen ihnen mit leuchtenden dunkelrosa Blüten wilder Alpenrosen übersät war. Diese Blumen glichen in Farbe, Form und Erscheinung jenen auf dem Feld, wo Willie sein Leben gelassen hatte. Vor dem Besuch des Unfallortes waren sie mir nie aufgefallen – weder hier noch an einer anderen Stelle unseres Grundstücks.

Willie kannte die Geschichte der rosa Blüten an dem Birnbaum, die unmittelbar nach dem Tod meines Stiefvaters aufgetaucht waren. So wusste er auch, wie bedeutsam und ergreifend dieses Ereignis für meine Mutter und mich gewesen war. Außerdem hatte er das Gemälde mit dem Baum, das in meinem Badezimmer hängt, unzählige Male gesehen. Ich bin fest davon überzeugt, dass Willie uns an jenem Tag durch die Rosen eine Botschaft geschickt hat, die seine Wertschätzung, Liebe, Dankbarkeit zum Ausdruck brachte – und auch eine Entschuldigung dafür, dass er uns verlassen hat. Sicherlich erkannte er, dass dies eine der wenigen Kommunikationsformen war, die wir nicht in Zweifel ziehen würden.

Um die Geschichte des Birnbaums zu Ende zu erzählen, sei hinzugefügt, dass er nach fünf Jahren herrlichen Blühens plötzlich vom Blitz getroffen und zerstört wurde. Das war die Botschaft an meine Mutter, in ihrem Leben »ein neues Kapitel aufzuschlagen«. So frage ich mich, ob die wunderbaren Alpenrosen, die wir jetzt auf unserem Anwesen liebevoll hegen und pflegen, eines Tages ebenfalls verschwinden werden.

31

Geschenke des Mitgefühls

Wenn ich in deine Augen schaue,
weiß ich, dass dort Gott ist.
Menschliches Mitgefühl und die
Fähigkeit zur Liebe sind nicht
das Ergebnis bloßen Zufalls.

Charles W. Gerdts, III

In den ersten Wochen nach Willies Tod wurden uns weitere Gesten der Liebe und der Güte zuteil, die meine Familie und ich als tröstlich empfanden. Außerdem tauchte ein Notizbuch im Bücherregal auf. Darin befanden sich mehrere Briefe, die Willie am Vorabend seines neunzehnten Geburtstages geschrieben hatte, also wenige Monate vor seinem Tod.

Er hatte einigen seiner Trainer und engen Freunden geschrieben, um ihnen für die schönen Erinnerungen an die gemeinsame Zeit zu danken, für ihre langjährige Freundschaft und Unterstützung sowie den starken Einfluss, den sie auf sein Leben ausübten. Seine Briefe kamen aus dem Herzen und wirkten fast wie Abschiedsbriefe, was für einen Achtzehnjährigen doch sehr ungewöhnlich ist.

Darüber hinaus schrieb er Briefe an den gerade ins Amt gewählten Präsidenten Obama, an Will-I-Am, einen Musiker, den er bewunderte, und an Präsident Lincoln. Ihm übermittelte er jenes Gefühl tiefer Ruhe und Inspiration, das ihn im Lincoln Memorial in Washington, D.C., überkommen hatte. Willie notierte, er sei davon überzeugt, einen Unterschied bewirken und der nächste Abraham Lincoln werden zu können. Er wollte »die *ganze* Welt zu einem besseren Ort« machen.

Schließlich schrieb Willie einen Brief an sich selbst. Darin sprach er von dem großen Abenteuer, das sein Leben gewesen war. Er erkannte, dass es diesem an Einfachheit mangelte, vermutete aber, dem sei deshalb so, »weil es in äußerst kurzer Zeit derart viel zu sehen und zu tun gibt«. Er bemerkte, wie dankbar er sei für seine Familie, seine Freunde, seinen Gott und seinen Glauben. Dieser Brief war für mich ein kostbares Geschenk. Er versicherte mir, dass Willie eine Beziehung zu Gott hatte, deren Bedeutung verstand und vor seinem Tod mit Gott »im Reinen« war.

Mein Sohn hatte die Gabe, jedem Menschen das Gefühl zu geben, etwas Besonderes zu sein und eine besondere Beziehung mit ihm zu haben. Nach seinem Tod meldeten sich viele Leute, um ihre Trauer zu bekunden, aber auch ihre Dankbarkeit für das Leben, das er geführt hatte. Sie alle erzählten, in welcher Weise er ihr Leben positiv verändert habe.

Senator John Kerry rief an, um sein Beileid auszusprechen. Er hob Willies Arbeit in seinem Büro ebenso hervor wie die von ihm angeregten Veränderungen und den Einfluss auf seine Mitarbeiter. Zum Zeichen der Anerkennung sandte der Senator auch eine Videobotschaft für Willies Gedenkgottesdienst.

Die mit Willie befreundete Songschreiberin und Sängerin Carole King hatte mit ihm während seines Aufenthaltes in Washington, D.C., zusammengearbeitet. Sie war beeindruckt von seinem Engagement für einen verantwortungsbewussten Umgang mit der Natur und seiner Überzeugung, dass jeder Mensch die Fähigkeit besitzt, die Welt nachhaltig zu verändern. Nach seinem Tod fühlte sie sich veranlasst, uns eine Aufnahme ihres Songs *In the Name of Love* (Im Namen der

Liebe) zu übersenden. Darin spricht sie über die Gewissheit des Wandels und die Bedeutung der Liebe und erinnert daran, dass wir alle Teil des Kreislaufs von Geburt, Leben und Tod sind. In den Wochen nach Willies Tod hörte ich mir ihre Aufnahme immer wieder an und fühlte mich in der Auffassung bestärkt, dass mit Gott jeder Tag neue Möglichkeiten eröffnet und Hoffnung gibt. Als diese besänftigende Melodie beim Gedenkgottesdienst gespielt wurde, berührte sie das Herz vieler Trauergäste.

Mitglieder der Gemeinde weinten und trauerten mit uns. Die Skiwelt war erschüttert und zu Tode betrübt. Hunderte von Menschen aus dem ganzen Land kamen zu Willies Gedenkgottesdienst, beteten mit uns und für uns und taten, was in ihrer Kraft stand, um den Schmerz zu lindern.

Täglich trafen wir uns mit unserem Pastor und waren umgeben von engen Freunden. Ich befestigte das folgende Glaubensbekenntnis am Kühlschrank und klammerte mich daran, um zu überleben:

Mein tägliches Glaubensbekenntnis

Ich glaube, dass Gottes Versprechen wahr sind.
Ich glaube, dass der Himmel wirklich ist.
Ich glaube, dass nichts mich von Gottes Liebe trennen kann.
Ich glaube, dass Gott bestimmte Aufgaben für mich hat.
Ich glaube, dass Gott mir beistehen und mich tragen wird,
wenn ich nicht gehen kann.

Gott trug unsere Familie Monat für Monat, während wir darum kämpften, einen Fuß vor den anderen zu setzen. Ich begreife nicht, wie jemand diesen Weg schaffen kann, ohne auf Gottes Plan zu vertrauen.

In meiner Jugend wurde mir beigebracht, Psalm 23,4 (*Und ob ich schon wanderte im finstern Tal, fürchte ich kein Unglück; denn du bist bei mir, dein Stecken und Stab trösten mich.*) beziehe sich auf den eigenen Tod und die gefährliche Reise zurück zu Gott. Heute glaube ich, dass dieser Vers auf Menschen zutrifft, die in tiefem Kummer zurückgelassen werden. Wenn sie das finstere Tal des Todes durchwandern, den ein geliebtes Wesen erlitten hat, können Trauer, Verwirrung, Wut und Verzweiflung unabsichtlich die Tür ihres Herzens aufstoßen und das Böse leise eintreten lassen.

Ich hatte den Tod – von Großeltern, Eltern, Freunden – schon vorher erfahren und festgestellt, dass Trauer immer ein einsamer Vorgang ist, da der Tod eines geliebten Menschen für jeden Trauernden eine andere Bedeutung beinhaltet. In solchen Situationen kann man sich wenigstens an den Ehepartner oder ein anderes Familienmitglied wenden, um Beistand zu erhalten. Die Isolation aber, in die einen der Tod des eigenen Kindes oder Geschwisters führt, wird exponentiell verstärkt durch die Tatsache, dass nahe Familienmitglieder, die sonst Hilfe leisten könnten, ebenso vom Gram verzehrt werden.

Gottes Timing ist immer perfekt, und vielleicht war ich gerade deshalb nicht motiviert, meine Geschichte vor dem Frühjahr 2009 in Worte zu fassen. Die Arbeit an diesem Manuskript war für mich eine äußerst intensive innere Erfahrung. Im Laufe der Jahre davor hatte ich mir selten gestattet, über die Ereignisse um meinen Tod und meine Rückkehr ins Dasein nachzudenken. Ich liebe mein Leben und liebe meine Familie von ganzem Herzen, wohlwissend, dass meine Arbeit auf der Erde noch nicht vollendet ist. Dennoch würde die lebhafte Erinnerung an die betörende Pracht der Welt Gottes leicht in mir die tiefe Sehnsucht wecken, für immer dorthin zu gehen. Daher habe ich stets darauf geachtet, mich nicht allzu gründlich damit zu beschäftigen. Wahrscheinlich ähnelt dieses Verlangen dem der genesenden Drogenabhängigen, die sich gern die besten Momente ihres früheren Rauschzustands ins Gedächtnis zurückrufen. Jedenfalls fand ich es belastend und zudem gefährlich, mir nicht nur die damaligen Begebenheiten zu vergegenwärtigen, sondern auch die damit verbundenen Gefühle noch einmal zu durchleben.

Bei der Niederschrift dieses Buches erlaubte ich mir, die geistigen Erfahrungen, die ich während meines Unfalls und danach machte, vorbehaltlos anzunehmen, indem ich die Details abermals verinnerlichte und in die physische, emotionale und spirituelle Realität jener Zeit eintauchte. So wurde ich neu erfüllt von der Erinnerung an Gottes aktive und kontinuierliche Gegenwart in meinem Leben, an seine vollkommene Gnade, seine reine Liebe, seine Versprechen für die Zukunft, und all dies erkannte ich an.

Tief innen fühlte ich wieder die Freude seines Geistes und gelangte zu der Einsicht, dass jedes Ereignis Teil eines größeren und umso herrlicheren Ganzen ist.

Durch diese Erfahrung wurde mir die Fähigkeit zuteil, in physischer, emotionaler und spiritueller Hinsicht jener Fels in der Brandung zu sein, der sich nach Willies Tod als so wichtig für meine Familie und meine Gemeinde erwies. Hätte ich das Buch einige Jahre vorher geschrieben, wären mir die Worte, die der Engel an mich richtete, oder die zahlreichen Gründe für meine Rückkehr zur Erde vielleicht nicht derart deutlich bewusst gewesen.

Bill und ich stellten überrascht fest, dass während des ersten Jahres *ein* Gefühl in uns vorherrschte: Angst. Die Angst, dass wir aus dem emotionalen Nebel nie wieder auftauchen; dass wir niemals mehr Freude empfinden können; dass wir unsere verbliebenen Kinder im Stich lassen; dass wir unser Gedächtnis löschen. Ich glaube, darin spiegelte sich vor allem die Angst vor einer ungewissen Zukunft, zu der unser Sohn, den wir so innig liebten, nicht dazugehören würde. Jemand sagte zu mir: »Wenn du mit all dem liebst, was du hast, trauerst du mit all dem, was du bist.« Dieser Ansicht würde ich zweifellos zustimmen.

Ich war fest davon überzeugt, dass Gott, wenn wir ihn darum bitten, uns in dieser Phase tiefer Verletzlichkeit nicht nur trägt, sondern auch unsere Seelen beschützt. Trotzdem war es für meinen Mann äußerst schwer, nicht nur seine Gefühle der Trauer und der Angst zu überwinden, sondern auch das der Verzweiflung.

32

Perfektes Timing

Es gibt etwas Gutes in den Schlechtesten von uns
und etwas Böses in den Besten von uns.
Sobald wir das entdecken, neigen wir
weniger dazu, unsere Feinde zu hassen.

Martin Luther King

Ich bin eine leidenschaftliche Skifahrerin, und acht Monate nach Willies Tod liefen mein Sohn Eliot und ich Ski im Hinterland. Dort muss man an der Unterseite der Skier synthetische Tierhäute befestigen, um verschneite Gebirgsregionen ersteigen zu können, die sonst unzugänglich wären. Auf dem Gipfel werden die Häute entfernt, und der Nervenkitzel bei der Abfahrt in meist frischem Pulverschnee lohnt dann den anstrengenden Aufstieg.

Ich liebe es, meine Kinder zu erheitern, und vollführte am späten Nachmittag demonstrativ einige Schwünge vor Eliot, der die Szene mit der Videokamera filmte. Dabei wollte ich einen Graben überspringen und »abheben«, was ich eigentlich nicht so gut kann, was aber meine Kinder zum Lachen bringt. Statt abzuheben, verdrehten sich jedoch meine Skier, und ich brach mir den Knöchel. Wenigstens konnte Eliot den Sturz auf Filmmaterial verewigen!

In dieser Situation waren meine Optionen ziemlich begrenzt. Ich konnte nicht mehr Ski fahren, und Eliot konnte mich nicht tragen. Zunächst dachten wir daran, aus unseren Skiern eine Art Schlitten zu konstruieren, aber das schien in Anbetracht des hohen Hügels vor uns nicht ratsam. Mir war bereits kalt, und es würde einige Stunden dauern, bis Eliot die Bergwacht informiert und diese mich gefunden hatte. Also bestand die einzige vernünftige Option darin, meinen Skistiefel enger zu schnallen (um den Knöchel besser abzustützen) und mich für einen langsamen, sehr schmerzhaften Marsch aus dem Hinterland zu rüsten. Ich benutzte die Skistöcke und das unversehrte Bein, um die Hänge hochzusteigen und zu überqueren, stets verzweifelt darum bemüht, das verletzte Bein nicht zu belasten. Die Rückkehr zum Auto war eine mehrstündige Tortur, begleitet von Flüchen, die für ein ganzes Leben gereicht hätten.

Dazu eine interessante Nebenbemerkung: Ich hatte kurz zuvor eine Studie von Stephens, Atkins und Kingston gelesen (*NeuroReport*, Band 20, Ausgabe 12, 5. August 2009, S. 1056–60), in der sie das Fluchen als Reaktion auf Schmerz untersuchten. Es wurden zwei Datenreihen erstellt, die darauf basierten, wie lange die Versuchspersonen imstande waren, ihren Arm in Eiswasser eingetaucht zu lassen – ein bekannter Schmerzstimulator –, während sie entweder ein allgemein übliches Wort zur Beschreibung eines Tisches herausschrien oder einen vulgären Ausdruck ihrer Wahl. Die Autoren kamen zu dem Schluss, dass die Schmerztoleranz wesentlich größer war, wenn die Versuchspersonen den vulgären Ausdruck ihrer Wahl benutzten. Auf dem Weg zurück zum Auto führte ich mein persönliches Experiment durch. Einmal brüllte ich Wörter wie »Schnee« und »Baum«, dann wieder verschiedene vulgäre Ausdrücke. Am Ende war ich mit den Ergebnissen der Studie voll und ganz einverstanden.

Noch am gleichen Abend wurde ich am Knöchel operiert und verbrachte die Nacht im Krankenhaus. Ein ruandischer Priester namens Pater Ubald besuchte gerade »zufällig« eine meiner Freundinnen in Jackson Hole. So kam es, dass sie ihn ins Krankenhaus führte, damit wir gemeinsam beten konnten. Um zu begreifen, wer dieser Pater Ubald ist und wofür er steht, muss man zumindest einen Teil seiner Geschichte kennen.

Die Ursachen des Genozids in Ruanda sind vielschichtig, und die ethnischen Konflikte zwischen Hutus und Tutsis bestehen schon seit langem. Nach der Ermordung von Präsident Juvénal Habyarimana, einem Hutu, im Jahre 1994 entluden sich die starken Spannungen zwischen den Stämmen: In einem Zeitraum von nur hundert Tagen wurden mehr als 800 000 Menschen systematisch umgebracht.

Inmitten des Massakers musste Pater Ubald – ein katholischer Priester, dessen Vater, ein Tutsi, beim Sturz der ruandischen Regierung 1962 ermordet worden war, ihn selbst hatten Kollegen im Priesterseminar während der 1980er-Jahre mit dem Tode bedroht – zunächst in die Residenz des Bischofs flüchten und dann in den Kongo, als Gegenleistung für das Versprechen der Hutus, den Tutsis in seiner Gemeinde nichts anzutun. Sofort nachdem er das Land verlassen hatte, brachen sie ihr Versprechen und schlachteten in dieser großen Gemeinde etwa 45 000 Tutsis ab. Über 80 Mitglieder aus seinem engen und erweiterten Familienkreis – einschließlich der Mutter – wurden während der ersten beiden Wochen des Blutbads niedergemetzelt.

Vor der Flucht gab Pater Ubald dem Bischof sein Wort, dass er zurückkehren werde, um sein Volk zu heilen. Das Massaker endete schließlich, als die Ruandische Patriotische Front (RPF) erneut an die Macht kam, doch die Überlebenden waren entsetzt und verwirrt angesichts der Gewalt des Bösen, die in ihrem Land entfesselt worden war. Die Mitglieder aller ethnischen Gruppen empfanden ein tiefes Schuldgefühl – wegen des Tötens, wegen ihres Überlebens und weil sie nicht genug getan hatten, um die Konflikte zu verhindern oder wenigstens abzuschwächen. Viele dürsteten nach Rache, aber es heißt ja: »Keine Rache ist so vollständig wie das Verzeihen.«

Pater Ubald verbrachte viele Monate im Gebet, und seine Tränen füllten einen Fluss, ehe er sich auf den Weg nach Lourdes in Frankreich machte. Dort hörte er während einer Meditation über die Kreuzwegstationen Gottes Stimme, die ihm mitteilte, seine Kümmernisse loszulassen und »das Kreuz zu tragen«. Gott überschwemmte sein Herz mit einer Versöhnlichkeit, die nur von ihm kommen kann. Später traf sich Pater Ubald mit dem Bürgermeister seiner Stadt, der die Ermordung seiner Mutter angeordnet hatte, und vergab ihm. Er übernahm die Verantwortung für dessen Kinder, behandelte sie wie seine eigenen und finanzierte sogar ihre Ausbildung.

Pater Ubald strahlt die Reinheit der göttlichen Gnade aus und predigt von Vergebung und Versöhnung. Außerdem hält er in Ruanda, Europa und den Vereinigten Staaten große Versammlungen ab, auf denen er seine Gaben einsetzt, um andere zu heilen und innerlich zu erneuern. In Ruanda errichtet er gerade ein Zentrum namens *The Secret of Peace* (Das Geheimnis des Friedens), das sich um die Menschen dort sowie in den angrenzenden Gebieten in Kongo und Burundi kümmert, wo sie so viele Kriege, so viel Leid und Armut erdulden mussten. Unermüdlich arbeitet er auf das Ziel der Vergebung, der Versöhnung und des Friedens hin – für die Völker in Ruanda und der ganzen Welt.

Seine Lebensgeschichte und seine Erfahrung im Heilen waren der Grund, warum meine Freundin Katsey mit ihm ins Krankenhaus kam. Er sollte über meinem Knöchel Gebete sprechen. Als beide eintrafen, fühlte ich mich wegen der Betäubungs- und Schmerzmittel so schlecht, dass sie schnell wieder das Zimmer verließen. Am nächsten Tag bestand Pater Ubald darauf, ich solle ihn in Katseys Haus besuchen, sobald es mir besser ginge. Ich vereinbarte ein Treffen für einen der Tage danach und brachte Bill mit.

Wir plauderten kurz miteinander, doch dann konzentrierte sich Pater Ubald sofort auf Bill. Zusammen beteten sie mehr als eine Stunde. Dieser wunderbare Anblick rührte mich fast zu Tränen, denn nie hatte ich Bill nach außen hin in einem so vergeistigten Zustand gesehen; das war eine Antwort auf meine jahrelangen Gebete.

In der Woche darauf kam Pater Ubald zu uns zum Abendessen, und schon bald drehte sich das Gespräch um das Thema Verlust. Wenn man seine Geschichte von Verlust und Trauer kennt, lauscht man ihm mit höchster Aufmerksamkeit. Wir waren also in Bann geschlagen, während er seine Erfahrungen und die seines Landes mit Verlust und dem fortlaufenden Prozess der Trauer und der Vergebung beschrieb. Er glaubt, dass die durch Verlust hervorgerufenen vielschichtigen Gefühle fast immer eine Form von Wut oder Zorn, Scham oder Schuld beinhalten, die der Vergebung bedarf, ehe Heilung, Hinnahme und Versöhnung eintreten können. Außerdem wies er darauf hin, dass nicht unbedingt beide Seiten Nachsicht üben müssen. Denn das Verzeihen kommt von innen und braucht nicht die Beteiligung, die Anerkennung oder Bejahung des Gegenübers.

Während wir über die zahlreichen Facetten der Vergebung sprachen, wurde mir bewusst, dass ich – ungeachtet meiner festen Überzeugung, dass Willies Tod ein Teil von Gottes größerem Plan war – im Abgrund der Trauer auch Wut, vielleicht sogar Zorn empfand. Ich war wütend über Eriks Leichtsinn am Steuer, der meinen wunderbaren Sohn getötet hatte. Ich war wütend, weil er uns danach nie kontaktierte, um sein Bedauern oder seine Trauer auszudrücken, und weil er den

Berichten zufolge weiterhin ein »aussichtsloser Fall« war. Einer, der in seinem Leben nicht vorankam, kaum Ziele hatte und keine Leidenschaft, um in der Welt – oder auch nur in sich selbst – einen Unterschied zu bewirken. Ich war wütend, weil er das Leben meines Sohnes geraubt hatte, dies aber nicht zum Anlass nahm, aus seinem Leben das Beste zu machen. Ich wusste, dass ich ihm verzeihen und für seine Zukunft beten musste.

Darüber hinaus war ich wütend auf mich selbst und kämpfte mit einem Gefühl von Scham und Schuld. In der Woche vor Willies Tod hatte ich nämlich mit meiner Tochter einige Schulen in Vermont besucht und den Entschluss gefasst, weder Zeit noch Geld aufzubringen für einen Abstecher nach Maine, um dort meine beiden Söhne im Trainingszentrum zu besuchen, obwohl es durchaus möglich gewesen wäre. Das bereitete mir Gewissensbisse in Bezug auf Willies Leben und Tod und quälte mich manchmal. Daher musste ich auch mir selbst verzeihen.

Schließlich wurde ich verfolgt von dem Gefühl, in meiner Verantwortung gegenüber Gott versagt zu haben. Ich wusste, dass ich nach dem Kajakunfall vor allem deshalb zur Erde zurückgeschickt worden war, um die Familie zu unterstützen und später dann insbesondere meinem Mann beizustehen, den Tod unseres Sohnes zu verkraften. Außerdem sollte ich sie anleiten, ihre Beziehung zu Gott zu entdecken. Ich hatte mir dafür alle Mühe gegeben, aber in jenem Februar 2010 dachte ich, dass keiner von ihnen Gott näher gekommen war und dass Bill immer noch mit einer tiefen Verzweiflung rang. Ich fühlte mich leer und niedergeschlagen, außerstande, ihm, meinen Kindern oder mir selbst zu helfen.

Den Worten von Pater Ubald lauschend, sann ich über dessen liebevolle und frohgemute Art nach. Plötzlich wurde mir klar, dass dieses Gefühl des Versagens von mir selbst hervorgerufen wurde und eigentlich egoistisch war. Ich hatte aufgehört, mich an Gott zu wenden und ihn um Hilfe zu bitten – in der Überzeugung, dass ich alles auf eigene Faust machen sollte, dass ich alles auf eigene Faust machen *konnte*. Dabei hatten sich Zweifel, Ängste und Schuldgefühle eingeschlichen und sich meiner Gedanken bemächtigt. Ich befand mich nach wie vor im Tal des Todesschattens, und die Tür meines Herzens war weit aufgestoßen. Auf der Stelle bat ich Gott um Beistand – und fühlte mich im Nu befreit, eben weil mir vergeben worden war, und wusste, dass allein Gott die Führung innehat. Ich bat um Unterweisung und darum, dass er unserer Familie helfen, im Trauerprozess voranzuschreiten, und dass Bill allmählich einen Hoffnungsschimmer für die Zukunft sehen würde. Wieder einmal würde ich sagen, dass Gott meine Gebete beantwortete, wenngleich keineswegs in der Weise, wie ich es mir vorgestellt hatte.

Während unseres Gesprächs über Verlust und Versöhnlichkeit erkannte Pater Ubald die Verzweiflung, unter der Bill litt, und bestimmt auch mein Gefühl, versagt zu haben.

Er bemerkte, dass im Gegensatz zur Trauer, die von Liebe zeugt, die Verzweiflung die Zerstörung der Seele widerspiegelt und oft mit großem Leid einhergeht. Dann stand er vom Tisch auf, füllte eine Schale mit Wasser, segnete es und ging durch unser Haus, um alles, was ihm unter die Augen kam, mit diesem heiligen Wasser zu besprengen ... Ja er *goss eine Handvoll Wasser* darüber, müsste man richtiger sagen. Er verteilte das Wasser in jedem Bereich jeden Zimmers, in jedem Schrank, auf jeder Oberfläche, jedem Gegenstand ... überall. Dabei befahl er dem bösen Geist der Verzweiflung, unsere Familie und unser Haus zu verlassen.

Ich war nie Katholikin und bin mir also nicht sicher, was ich von heiligem Wasser halten soll, aber eines weiß ich genau: Nach dem Besuch von Pater Ubald änderte sich unser Leben. Wir empfanden weiterhin Trauer über den Verlust, aber das Gefühl von Angst und Verzweiflung, das langsam unser Leben zerstört hatte, wich an jenem Abend von uns.

Ist es nur »Zufall«, dass ich mir während des Aufenthalts von Pater Ubald den Knöchel brach oder dass ich zu krank war, um mit ihm im Krankenhaus zu sprechen, und dem Geistlichen dadurch die Möglichkeit gab, mich, Bill und die ganze Familie zu heilen? Vielleicht, aber meines Erachtens handelt es sich hierbei um ein weiteres Beispiel für die von Gott perfekt choreographierte Abfolge der Ereignisse.

33

Logische Schlüsse

Nun aber bleibt
Glaube, Hoffnung, Liebe, diese drei;
aber die Liebe ist die größte unter ihnen.

Korinther 13,13

Wenn ich die Geschichte meines Lebens betrachte, wird mir bewusst, dass jede Erfahrung die nächste vorbereitet hat. Meinem Leben liegt eine göttliche Ordnung zugrunde, die über jene Abfolge bestimmt, und so wurde ich zu meiner bislang größten Herausforderung geführt: zum Tod meines Sohnes. Seither klammere ich mich an mein tägliches Glaubensbekenntnis (das ich am Kühlschrank befestigt habe), weil es jene Überzeugungen und logischen Schlüsse widerspiegelt, die auf meinen früheren Erfahrungen beruhen und die ich bereits als wahr erkannt habe.

1. Ich glaube, dass Gottes Versprechen wahr sind.

Gott verspricht, uns weder zu verlassen noch aufzugeben. Er verspricht, die Tür zu öffnen, wenn wir anklopfen, und uns stets von neuem willkommen zu heißen in seiner Liebe, ganz gleich, wie weit wir vom Weg abgekommen sind. In meinem Leben erfüllte er diese Versprechen, als er mir meinen Stiefvater George zuführte, als er mich in dem über die Böschung stürzenden Wagen begleitete, als er mir und meinem Tauchlehrer den Ausgang aus der Höhle in den Florida Springs zeigte und als ich in einem südamerikanischen Fluss ertrank. Er liebte mich, selbst als ich eine unbeherrschte Jugendliche war und ihn in den Hintergrund meines Lebens drängte. Ich konnte darauf vertrauen, dass Gott für Willie und für uns einen Plan entworfen hat.

2. Ich glaube, dass der Himmel wirklich ist.

Meine Patientin Jennifer sah die Engel. Mein Patient, der nach einer Operation an der Wirbelsäule starb, sah ebenfalls Engel und beschrieb sie wie auch den Himmel gegenüber seiner Frau. Nach meinem Kajakunfall erlebte ich den Himmel »aus erster Hand«. Er war derart rein, von Liebe erfüllt und wunderbar, dass ich nicht mehr zur Erde zurückkehren wollte. Als mein Leben noch in der Schwebe war, wurde mir versichert, dass mein Mann und meine Kinder auch ohne mich wohlauf sein würden. Ich bezweifle nicht, dass Willie zögerte, seine Familie zurückzulassen, und bedauerte, was wir würden ertragen müssen, aber genauso wenig zweifle ich daran, dass ihm in ähnlicher Weise Trost und Mut zugesprochen wurde, ehe er freudestrahlend zu Gott zurückkehrte.

3. Ich glaube, dass nichts mich von Gottes Liebe trennen kann.

Gottes Liebe war bei mir, als ich, halbwüchsig, voller Verwirrung und Seelenqual außer Kontrolle geriet, als der Kombi des Missionarsehepaares inmitten der mexikanischen Berge im Schlamm steckenblieb, und auch während der verschiedenen Phasen, in denen ich zutiefst besorgt war über mein persönliches Leben und meine berufliche Situation. Er hielt mich und liebte mich, als ich unter einem Wasserfall eingeklemmt war und starb.

Dabei bewahrte er mich vor Schmerz und Angst. Die Erfahrung seiner Gegenwart, seiner Liebe und seines Mitgefühls gibt mir die Gewissheit, dass Willie am Ende seines Lebens nicht leiden musste. Wahrscheinlich verließ sein Geist den Körper, lange bevor dieser zerbrochen war, und so bin ich zuversichtlich, dass er von einer Schar überglücklicher und aufgeregter Zeugen begrüßt wurde.

4. *Ich glaube, dass Gott bestimmte Aufgaben für mich hat.*

Während meines Krankenhausaufenthaltes nach dem Kajakunfall sprach der Engel über die Arbeit, die jeder von uns auf der Erde verrichtet, und erläuterte, welche Arbeiten ich im Einzelnen noch tun muss. Sicherlich hat Willie seine Aufgabe auf Erden vollendet. Er lebte leidenschaftlich, liebte innig, errang Erfolge und inspirierte andere, zu besseren Menschen zu werden. In seinen neunzehn Jahren hat er viel geschafft und diese Welt für alle zu einem lohnenderen Ort gemacht. Er hat die Anforderungen mehr als erfüllt.

5. *Ich glaube, dass Gott mir beistehen und mich tragen wird, wenn ich nicht gehen kann.*

Im Leben eines Menschen gibt es zahlreiche Zyklen, und jeder ist mit Sorgen, Verletzungen, Enttäuschungen, Kummer und anderen Schwierigkeiten konfrontiert. Es heißt, ohne Trauer könne man die Freude nicht wirklich schätzen. Vor Willies Tod hatte ich vielerlei Leiden überlebt, einige kleinere und einige größere. Gott war jedes Mal bei mir und trug mich vorwärts, bis ich allein weitergehen und den winzigen Samen der Hoffnung auf die Zukunft nähren konnte, den Gott in unserem Innern setzt.

Diese Geschichte gibt mir die unerschütterliche Gewissheit, dass Gott mich immer begleiten und in eine beglückende Zukunft tragen wird, wie niedergeschlagen und unschlüssig ich auch sein mag. Jedes Ereignis, ob freudig oder traurig, hat mich Gottes Rolle in meinem Leben deutlicher erkennen lassen und zu einem tieferen Glauben an seine unerschöpfliche Liebe geführt.

Ich weiß immer noch nicht, was die Zukunft für mich bereithält. Ich zweifle nicht an Gottes Versprechen und bin dankbar für das Privileg, Willie bei uns gehabt zu haben. Er war ein großartiger Lehrer und leuchtendes Vorbild, ein wunderbarer Sohn und Freund. Willie glaubte fest daran, dass die Veränderung mit dem Individuum beginnt, und bejahte leidenschaftlich Mahatma Gandhis Idee: »Wir selbst müssen die Veränderung sein, die wir in der Welt sehen wollen.« Willie vollbrachte in seinem offenbar beschleunigten irdischen Leben vieles und regte die anderen dazu an, es ihm nachzutun. Er zeigte ihnen eine sinnvollere Lebensweise. Und so war er zweifellos die Veränderung, die er in der Welt sehen wollte.

Er wusste, wer er war und wofür er stand. Er griff nach seinen Träumen. Er war liebenswürdig und dachte immer zuerst an andere. Er erwartete, dass jeder von uns jeden Abend in den Spiegel schaut und sich fragt, was *er* oder *sie* – und nicht jemand anders – *heute* getan hat, um einem Menschen zu helfen oder diese Welt in einen besseren Ort für alle zu verwandeln.

Ich glaube nicht, dass man einen Verlust solchen Ausmaßes, wie ich ihn durch Willies Tod erlitten habe, »verarbeiten«, »verschmerzen« oder sonst wie »überwinden« kann, um nur einige jener gut gemeinten Plattitüden zu nennen, die fast nie der Realität entsprechen. Einen Verlust betrauern heißt, zu lernen, wie man den Schmerz in ein neues Leben und eine neue Wirklichkeit integriert. So schrieb Martha Hickman in ihrem Buch *Healing after Loss* (Heilung nach dem Verlust): »Es gibt keinen Weg hinaus, nur nach vorn.«

Viele haben gesagt, meine Erfahrung sei bemerkenswert. Vielleicht stimmt das. Bemerkenswerter finde ich allerdings, wie bereitwillig viele in unserer Gesellschaft ebenso merkwürdigen wie unbegründeten Legenden und Verschwörungstheorien anhängen (die Mondlandung habe nicht stattgefunden, John F. Kennedy sei von irgendwelchen Geheimdiensten ermordet worden, der Mensch selbst habe die Krankheit Aids verursacht usw.), zugleich aber zahlreiche stichhaltige Zeugnisse von Wundern und Nahtoderfahrungen ignorieren, die Menschen aller Kulturen und Religionen abgegeben haben.

Ich habe mehr als zehn Jahre damit verbracht, über meine Erfahrungen nachzudenken und mich zu fragen, wie ich damit umgehen soll. In dieser Zeit bin ich weiterhin die gewesen, die ich immer schon war: Ehefrau und Mutter, Fachärztin für Wirbelsäulenchirurgie, Wissenschaftlerin, Realistin und Zynikerin, und doch habe ich mich grundlegend geändert. Ich weiß jetzt, dass ich in erster Linie ein Kind Gottes bin; dass Gott jeden Menschen auf der Erde liebt und schätzt; und dass jeder von uns nur ein kleiner Faden im herrlichen Gobelin Gottes ist. Aber ich weiß auch, dass unsere Entscheidungen und Handlungen wichtig sind und tatsächlich einen Unterschied bewirken.

Dieses Wissen beeinflusst nachhaltig die Wechselbeziehungen zwischen mir und meinen Patienten. Ich erkenne, welch große Rolle ihre seelische und geistige Gesundheit im Heilungsprozess spielt, und kann die eigenen Erfahrungen einbringen, um ihnen Hoffnung zu geben, selbst bei schwerwiegenden Verletzungen oder Behinderungen. Oft bete ich für meine Patienten, manchmal auch mit ihnen. Meine berufliche Aufgabe sehe ich nun eher darin, »Heilerin« zu sein, anstatt lediglich ihren Bewegungsapparat zu »reparieren«.

Ich weiß nicht, warum Gott beschlossen hat, in mein Leben einzugreifen. Ich habe ein ganz normales Leben geführt. Ich wurde mit der Religion großgezogen, beanspruchte jedoch vor der Highschool nie wirklich Gottes Versprechen für mich. In den ersten Semestern dachte ich kaum über mein geistiges Leben nach, obwohl Gott mir beim Tauchgang in den Florida Springs sicherlich beistand. Das Gleiche könnte ich sagen über meine Zeit an der medizinischen Fakultät und in der Facharztausbildung. Wie die meisten Leute war ich ständig mit den Pflichten und Details des täglichen Lebens beschäftigt, mit der üblichen Aufgabe, die Erfordernisse der Arbeit mit denen der Ehe und der Familie in Einklang zu bringen. Zwar wurde ich persönlich von Gottes Gegenwart berührt, aber meine Spiritualität entwickelte sich erst dann, als ich überlegte, was aus meinen Kindern werden sollte.

Da ich in vielerlei Hinsicht ganz normal bin, stelle ich mir weiterhin die ganz normale Frage: »Warum gerade ich?« Warum hat Gott mir diese außergewöhnlichen Erfahrungen beschert, anstatt sich meinem Cousin zu offenbaren, der an den Folgen seiner Drogensucht starb, oder einem der vielen Millionen anderen Gläubigen, der ihn schreiend um Hilfe bat? Ich bin von Natur aus und aufgrund meiner Ausbildung ein wissenschaftlicher, analytischer und skeptischer Mensch. Würde ich all jene wundersamen Ereignisse in meinem Leben für wahr halten, wenn ich sie nicht am eigenen Leib erfahren hätte? Wie kann das, was ich beschrieben habe, im Leben eines einzigen Menschen geschehen? Warum ist es so schwer, nicht mehr zu zweifeln und einfach zu glauben?

Ich kann nicht jede dieser Fragen beantworten, weiß aber, dass Millionen von Menschen unbedingt Gott entdecken und mit ihm in Verbindung treten müssen, um seine Liebe zu empfangen, seine Gegenwart zu erleben, die Wahrheit seiner Versprechen zu akzeptieren.

Leute fragen, warum die Wunder, die in alter Zeit so häufig geschahen, heute ausbleiben. Ich behaupte, dass dieser Tage im Leben normaler Menschen ebenso viele Wunder geschehen wie damals. Aber ich stelle zugleich fest, dass die meisten von uns nicht auf Wunder achten, sie nicht in ihrer Eigenart anerkennen und nicht wirklich an ihren göttlichen Ursprung glauben, selbst wenn das übernatürliche Geschehen als solches bemerkt wird.

Meine Erfahrungen sprechen gegen die Begriffe »Zufall« und »Glück«. Sie festigen den Glauben daran, dass es nur die leitende Gegenwart und den umfassenden Plan Gottes gibt, der sich seiner Scharen von Engeln und anderen Boten bedient, um uns zu führen und mit uns zu kommunizieren.

König Salomon schrieb, »dass der Mensch nicht ergründen kann das Werk, das Gott tut, weder Anfang noch Ende« (Prediger 3,11). Dem stimme ich von ganzem Herzen zu. Wir leben unser Leben in der Vorwärtsbewegung, verstehen es aber nur im Rückblick.

Daher würde ich Sie gerne auffordern, sechs bis zwölf Monate lang Tagebuch über die sogenannten »Zufälle« zu führen. Darin notieren Sie die Details jedes »Zufalls« in Ihrem Alltag. In der linken Spalte halten Sie die Einzelheiten jedes wichtigen Ereignisses fest ... Welche Umstände haben dazu geführt, dass Sie an der Hochschule aufgenommen wurden, dass Sie Ihrem künftigen Lebenspartner begegnet sind, dass Sie Ihren Arbeitsplatz gefunden oder Ihren Wohnort ausgewählt haben usw. Schreiben Sie auf, wann sich alles wie von selbst fügt, aber auch, wann Sie mit einer Situation zu kämpfen haben und wie diese wohl ausgehen wird. Dann listen Sie in der rechten Spalte die »schlimmen« Dinge auf, die Ihnen oder einigen nahen Menschen zustoßen, und was sich direkt oder indirekt daraus ergibt …

Wenn Sie am Ende der Übung anhand Ihrer Aufzeichnungen zurückblicken, werden Sie deutlich erkennen, dass viele Personen, Begebenheiten, Entscheidungen und Ergebnisse miteinander verknüpft sind.

Sie werden einen Zusammenhang entdecken, der sich nicht auf die statistische Wahrscheinlichkeit zurückführen lässt. Sie werden Beweise von Gottes Werk aufspüren, die keinen Zweifel daran lassen, dass Ihr Leben auf seinem Plan beruht. Sie werden allmählich jedes scheinbar »zufällige« Ereignis als das Wunder betrachten, das es eigentlich ist, und die Gewissheit haben, dass Gott bei Ihnen ist, sogar in den Zeiten der Trauer, der Einsamkeit und des Unglücks.

Um es mit den Worten von Chad Long auszudrücken: »Was geschehen ist, soll im Nachhinein nicht abgeschwächt werden. Wir waren alle Teil eines Wunders.«

In Hebräer 11,1 steht geschrieben: »Es ist aber der Glaube eine gewisse Zuversicht des, das man hofft, und ein Nichtzweifeln an dem, das man nicht sieht.« Martin Luther King übertrug diesen Satz in die Praxis, als er erklärte: »*Glauben heißt, die erste Stufe zu nehmen, selbst wenn man nicht das ganze Treppenhaus sieht.*«

Es ist der Glaube, der uns befreit. Er ermöglicht uns, das Leben vorbehaltlos anzunehmen, er beseitigt die Angst und ersetzt die Sorge durch Hoffnung. Der Glaube lässt uns an der Seite Gottes zuversichtlich einer von Wonne erfüllten Zukunft entgegengehen, die zu einem ebenso außergewöhnlichen wie aufregenden Abenteuer werden kann.

Gott hat uns erschaffen, kennt uns, liebt uns und leitet uns. Voller Liebe und Gnade befiehlt er uns:

- an diesem Wissen stets Freude zu haben;

- ein Leben im Gebet zu führen, Gott in seiner Herrlichkeit zu preisen und ständig auf seine Unterweisungen zu hören;

- ein Leben in Dankbarkeit zu führen und diese in *jeder* Situation zu bekunden.

Zurückgeben

Du kannst geben, ohne zu lieben,
aber du kannst nicht lieben, ohne zu geben.

Amy Carmichael

Ein Teil der Einnahmen aus dem Verkauf dieses Buches wird an Wohltätigkeitsorganisationen gespendet, die nachstehende Ziele verfolgen:

- Gottes Gnade und Liebe mit Menschen in unserem Land und auf der ganzen Welt zu teilen;

- andere zu ermuntern, jedem Tag und jeder Entscheidung eine besondere Bedeutung beizumessen und darauf hinzuarbeiten, dass die Welt zu einem besseren Ort für alle wird;

- den verantwortungsbewussten Umgang mit der Natur, die uns anvertraut wurde, zu fördern;

- Menschen zu helfen, in eine liebevolle Beziehung mit Gott einzutreten.

Für weitere Informationen besuchen Sie bitte meine Website: *www.DrMaryNeal.com.*
Dort finden Sie Hinweise auf jene nicht gewinnorientierten Einrichtungen, denen Spenden überwiesen werden. Außerdem haben Sie die Möglichkeit, weitere solche Einrichtungen vorzuschlagen, die in Betracht gezogen werden sollten.

Fragen an Dr. Neal und ihre Antworten

Seit der Veröffentlichung meines Buches habe ich zahlreiche Fragen zu einzelnen Aspekten meiner Erfahrungen beantwortet. Einige der am häufigsten gestellten Fragen werden hier aufgelistet.

Wo taucht in dieser Geschichte Jesus auf?

Ich glaube, dass Jesus mich hielt, beruhigte und tröstete, als ich ertrank. Außerdem glaube ich, dass ich mich während meiner außerkörperlichen Erfahrung auf dem sonnenüberfluteten Feld mit Jesus unterhielt. Das habe ich bei der Niederschrift des Manuskripts nicht deutlich hervorgehoben, weil ich mich mit dieser Behauptung unwohl fühlte. Ich bin eine ganz normale Frau, und die Vorstellung, dass Jesus sich Zeit nimmt, um bei mir zu sein, schien so anmaßend und hochmütig.

Gehören Sie einer Kirche an?

Ich besuche regelmäßig den Gottesdienst und war im Gemeinderat, aber meines Erachtens ist es am wichtigsten, den Herrn, unseren Gott, aus ganzem Herzen und mit aller Kraft zu lieben. Ich lebe in einer wunderbaren Gebirgsregion, wo viele Menschen die Berge als ihre Kirche betrachten und glauben, dass sie Gott eher dort als in einem Gebäude anbeten können. Das mag durchaus stimmen, aber die Frage – und mein Pastor weist oft darauf hin – lautet nicht: Kann man in den Bergen Gott anbeten? Sondern: *Wird* man in den Bergen

Gott anbeten? Ungeachtet der Missetaten, die einige Leute im Namen Gottes oder hinter verschlossenen Kirchentüren begangen haben, bin ich der Ansicht, dass die Institution größer ist als die Individuen in ihr. Kirchen stellen einen Ort zur Verfügung, wo Menschen ihre gemeinsamen Überzeugungen teilen, einander in ihrem Glauben unterstützen und ermutigen, einen Ort, wo sie Einsicht gewinnen in das gepredigte Wort Gottes, Zeit und Raum haben, um die Welt hinter sich zu lassen und sich ausschließlich auf ihre geistige Beziehung zu Gott zu besinnen. Er kann uns überall begegnen, und in diesem Sinne gewährleisten die verschiedenen Konfessionsgemeinschaften, dass Menschen in jedem Stadium ihrer geistigen Entwicklung zusammenfinden können.

Tun Sie das alles nur des Geldes wegen?

Auch ich bin skeptisch hinsichtlich der Motivation vieler Menschen, aber Gott hat mir diese Erfahrungen für einen bestimmten Zweck zuteilwerden lassen, und ich versuche, das zu tun, was er von mir verlangt hat. Einnahmen aus dem Verkauf dieses Buches tragen dazu bei, mehrere nicht gewinnorientierte Organisationen zu unterstützen. (Die aktuelle Liste der geförderten Einrichtungen findet man unter dem Stichwort »Giving Back« [Zurückgeben] auf meiner Website.)

Warum haben Sie so lange gebraucht,
um Ihr Buch zu schreiben?

Meines Erachtens ist die Tatsache, dass ich *wirklich* nicht zur Erde zurückkehren wollte, ein wesentlicher Teil meiner Geschichte. Zur Zeit des Kajakunfalls waren meine vier Kinder noch ziemlich klein, und sie sollten keinesfalls denken, sie wären nicht Grund genug für meine Rückkehr. Deshalb habe ich damals nur mit engen Freunden und einigen Mitgliedern der Kirchengemeinde über meine Erfahrungen gesprochen. Ich war Chirurgin, Ehefrau und Mutter, und so blieb mir kaum Zeit fürs Schreiben. Ehrlich gesagt hatte ich auch erst kein Bedürfnis danach. Ich war keine Schriftstellerin, sondern durch und durch Privatperson. Letzten Endes ist Gottes Timing immer perfekt; ich beendete den ersten Entwurf des Manuskripts wenige Stunden vor dem Tod meines Sohnes.

Warum sollte ich Ihnen glauben? Wollen Sie nicht einfach die Leute von Ihrer eigenen Glaubensanschauung überzeugen?

Die Aufgabe, die mir übertragen wurde, bestand darin, meine Erfahrungen so genau wie möglich wiederzugeben und mit anderen zu teilen. Das ist alles, was ich erstrebe.

Wie sahen die Menschen aus, die mit Ihnen im Himmel waren?

Die Menschen/Wesen leuchteten. Sie hatten eine körperliche Gestalt, schienen aber fließende Gewänder zu tragen, sodass ich Arme und Beine nicht deutlich erkennen konnte. Ich sah ihre Köpfe, doch ihr strahlender Glanz verwischte die Konturen und damit auch die Gesichtszüge. Offenbar waren sie weder jung noch alt, sondern einfach zeitlos. Später dann, während meiner außerkörperlichen Erfahrung auf der Pflegestation, erblickte ich Kinder, die am fernen Ende des Feldes spielten, in dem ich saß.

Wie sah Jesus aus?

Ich glaube, Jesus hat mich gehalten, als ich noch unter Wasser war. Dort hörte ich, wie er zu mir sprach, konnte ihn aber nicht sehen. Meines Erachtens war es Jesus, mit dem ich mich während meiner außerkörperlichen Erfahrung auf dem sonnenüberfluteten Feld unterhielt. Er saß auf einem Felsen, ich ihm gegenüber, und wie die Wesen, die mich den Weg zum Himmel entlangführten, trug er eine Art fließendes Gewand und war von überwältigender Schönheit und Leuchtkraft. Umrahmt von langem Haar, waren seine Gesichtszüge undeutlich. Ich weiß nicht, wie ich es beschreiben soll, aber von seiner Erscheinung hat sich mir am tiefsten die Liebe eingeprägt. (Natürlich können wir die Liebe normalerweise nicht »sehen«, aber, wie gesagt, ich weiß nicht, wie ich dieses Phänomen – etwas zu »sehen«, das man eigentlich »fühlt« – in Worte fassen soll.) Er strahlte vollkommene Liebe und Freundlichkeit aus, tiefstes Mitgefühl und unendliche Geduld.

Haben Sie Haustiere gesehen?

Ich habe keine Tiere gesehen, konnte aber nur wenige Orte im Himmel besuchen. Daher weiß ich weder etwas von den Orten, wo ich nicht war, noch von ihren Bewohnern.

Was für Verletzungen hatten Sie, und warum haben Sie keinen Notfalltransport organisiert?

Es überrascht mich, dass Leser über meine Verletzungen genau Bescheid wissen wollen, aber hier sind die Details: Im einen Bein erlitt ich einen Bruch des Schienbeinplateaus, einen Meniskusriss, Risse im hinteren Kreuzband, in der hinteren Gelenkkapsel sowie im Außen- und Innenband des Knies. Im anderen Bein waren Schien- und Wadenbein in der Mitte gebrochen, hintere Gelenkkapsel, Außen- und Innenband sowie ein Teil des hinteren Kreuzbands im Knie gerissen. Im Grunde waren meine Knie völlig nach innen gedreht und gegeneinandergepresst, damit mein Körper sich aus dem Kajak befreien konnte.

Als ich in der Notaufnahme eintraf, hatte ich mir außerdem eine Lungenentzündung und ein akutes progressives Lungenversagen (ARDS) zugezogen, das infolge eines Schocks eintritt. Dadurch wird die Fähigkeit der Lungen, Sauerstoff in den Blutkreislauf weiterzuleiten, stark eingeschränkt. Sauerstoffversorgung von außen und Intensivpflege sind wichtig, aber abgesehen davon, dass man Zeit gewinnt für die Heilung der Lungen, gibt es gegen dieses Syndrom keine wirksame Behandlung, weshalb es oft zum Tod führt. Mein Sauerstoffsättigungsgrad lag anfangs bei 40 Prozent (normal sind 80 bis 100 Prozent) und erhöhte sich nach der Sauerstoffzufuhr auf 60 Prozent. Im Allgemeinen ist dieses Niveau zu niedrig, um schwerwiegende Organschäden zu vermeiden.

Anschließend bekam ich eine tiefe Venenthrombose in den Beinen, die eine medikamentöse Behandlung zur Hemmung der Blutgerinnung erforderte. Außerdem musste ich mich mehreren Operationen und einer umfangreichen Rehabilitation unterziehen. Ich habe keine Gehirnverletzungen erlitten, und am Ende verheilten meine Beine so gut, wie man es erwarten konnte. Gewiss lebe ich heute mit den Langzeitfolgen meiner körperlichen Verletzungen, konnte jedoch meine zahlreichen Freizeitaktivitäten wieder aufnehmen.

Ja, wir hätten um einen Notfalltransport bitten sollen. Obwohl für mich die Sache »glimpflich« ausging, war es töricht und schlecht durchdacht, derlei zu unterlassen, und ich würde nie jemandem empfehlen, in der gleichen Weise zu verfahren. Ich hatte beschlossen, nach Hause zu fliegen, um bei meinen Kindern zu sein, und sagte mir, dass alles gut ausgehen würde, weil ich Ärztin bin und mit einem anderen Arzt (meinem Mann) reiste, der beide Beine fachmännisch geschient hatte. Doch war ich sicherlich in einem Schockzustand und fühlte mich den Sorgen und Belangen dieser Welt fast enthoben. Mein Mann stand ebenfalls unter Schock. Jemand hätte uns mitteilen können, dass wir die Situation nicht klar ins Auge fassten, aber wir waren die einzigen Ärzte, und offenbar haben sich alle unserer Diagnose (oder Fehldiagnose) angeschlossen. Offen gestanden bringt mich dieser Teil der Geschichte ziemlich in Verlegenheit.

Wie war es vor dem Kajakunfall um Ihren Glauben bestellt, und inwiefern hat sich danach Ihr geistiges Leben verändert?

Schon vor meiner Nahtoderfahrung war ich Christin und fest überzeugt, die Bibel sei das absolute und historisch genaue Wort Gottes. Allerdings gehörte ich nicht zu denen, die man als tief geistig oder religiös bezeichnen würde, und hatte keine vorgefasste Meinung über das Leben nach dem Tod. Meine Erfahrung hat mich sowohl in geistiger als auch in religiöser Hinsicht grundlegend verändert. Ich weiß jetzt, dass Gottes Versprechen wahr sind, dass es ein Leben nach dem Tod gibt und dass unser geistiges Leben ewig währt. Obwohl mir die Grenzen organisierter Religion durchaus bewusst sind, nehme ich von ganzem Herzen an ihr teil und unterstütze sie.

Wie hat sich Ihr Verständnis von Gott geändert?

Die völlige Gewissheit, dass Gott existiert, dass er für jeden
von uns einen Plan entworfen hat und dass es tatsächlich ein
Leben nach dem Tod gibt, verändert nachhaltig die Art und
Weise, wie ich jeden Tag erfahre. Ich habe keine Angst vor
dem Tod und nehme daher den Tod von Menschen anders
wahr, selbst den meines Sohnes. Ich weiß, dass jeder Tag
wirklich zählt und dass ich stets auf Gottes Angelegenheiten
achten muss. Außerdem weiß ich, dass Gott alle Menschen
innig und bedingungslos liebt ... sogar jene, die ich vielleicht
nicht mag oder mit denen ich nicht übereinstimme. So werde
ich motiviert, die Schönheit in ihrem Innern zu erkennen,
die Gott jederzeit sieht.

Wie können Ihre Erfahrungen auf das Leben
anderer Menschen übertragen oder benutzt werden,
um Herausforderungen zu begegnen?

Ich habe viele meiner Erfahrungen nicht deshalb mitgeteilt,
weil andere sie wiederholen sollen, sondern um ihnen zu zeigen, dass man – wenn es einem gelingt, seinen Glauben in
Vertrauen zu verwandeln – jeder Herausforderung mit dank-
barer Einstellung und freudigem Herzen begegnen kann. Damit meine ich Folgendes: Ein kleines Kind hat Hoffnung – es
hofft, dass Gott das tun wird, was er verspricht. Wenn wir erfahren und mit eigenen Augen sehen, wie Gott im Leben der
anderen sein Werk verrichtet, verwandelt sich diese Hoffnung
in den Glauben, dass er tatsächlich das tun wird, was er verspricht. Nicht jeder macht eine so tiefe geistige Erfahrung wie
die des Nahtods, aber wer sich Zeit nimmt, die Zusammen-
hänge im Alltag genau zu betrachten, und feststellt, dass sich

die Ereignisse in einer Weise zu entwickeln scheinen, die kaum auf »Zufall« oder »Glück« zurückzuführen ist, wird allmählich auch im eigenen Leben Gott am Werk sehen. Erst dann kann sich der Glaube in das völlige Vertrauen verwandeln, dass Gottes Versprechen wahr sind und dass er einen wunderbaren Plan verfolgt, der die Hoffnung auf eine Zukunft beinhaltet und so jedem Menschen ermöglicht, den Herausforderungen mit Zuversicht und Mut zu begegnen, selbst wenn der Plan und seine Herrlichkeit verborgen scheinen.

Danksagung

Dieses Buch wurde geschrieben mit dem besonderen Dank an:

Bill Neal, weil er mein liebevoller, geduldiger, lustiger, talentierter und hingebungsvoller Lebenspartner ist.

Willie, Eliot, Betsy und Peter Neal für eure ständige Inspiration, euer Staunen und eure zauberhafte Schönheit. Ihr seid die Quellen meiner größten Freude und meines tiefsten Kummers, aber ohne die Erfahrungen mit einem jeden von euch wäre mein Leben sinnlos und leer.

Ellen Nolan, David Pfeifer, Sophie Craighead, Pastor Dr. Paul Hayden, Terri Hayden, Cindy Leinonen, Mark Barron, Elizabeth Gerdts und Kasandra Loertscher, ohne die unsere Familie nicht überlebt hätte noch dort wäre, wo sie heute ist.

Tom, Debbi, Kenneth, Anne, Chad, Krista, Tren und Linzie Long dafür, dass ihr mich zur Erde zurückgebracht habt und ein so liebevoller Teil unserer Familie seid.

Betty Thum für die bedingungslose Liebe und Fürsorglichkeit, die du mir stets zuteilwerden lässt. Ich bete dafür, dass ich meinen eigenen Kindern das Gleiche geben kann.

George Thum, Paulita Neal, Edwin Pounder, Robert, Bob und Bill Hume für all eure Taten und Gesten, mit denen ihr mich liebt und ermutigt.

Meine Ya-Ya-Schwestern Linda Purdy, Susan Farquhar, Kelly Kiburis, Becky Patrias, Julie Connors, Ann Bayer und Susan Marks, die mir seit über vierzig Jahren beistehen.

Robin Steinmann, Corrine Alhum, Barb Forbes, Natalie Stewart und Sherry Pointsett dafür, dass ihr mir helft, die Macht des Gebets zu verstehen.

Marta Lozano für deine anhaltende Unterstützung und für deine Toleranz, als ich an diesem Buch arbeitete, anstatt meine Tabellen zu vervollständigen.

All den ungenannten Personen, die mir halfen, der Mensch zu werden, der ich heute bin.

80 Jahre Lebens- weisheit

LOUISE L. HAY und CHERY RICHARDSON
Ist das Leben nicht wunderbar!
224 Seiten
€ [D] 14,99 / € [A] 15,50
sFr 20,90
ISBN 978-3-7934-2230-3

Louise L. Hay und *Cheryl Richardson,* zwei der bekanntesten spirituellen Autorinnen, bereisen gemeinsam die USA und Europa. Ihre Erlebnisse fassen sie in diesem Buch zusammen und ermöglichen so den LeserInnen die Anwendung ihres reichen Erfahrungsschatzes für das eigene Leben.

Allegria

Bewusstsein als Weg aus der Krise

NEALE DONALD WALSCH
Der Sturm vor der Ruhe
320 Seiten
€ [D] 18,00 / € [A] 18,50
sFr 24,90
ISBN 978-3-7934-2234-1

Arabische Revolution, Wirtschaftskrise, Atomkatastrophe – die globale Veränderung ist unausweichlich. Die Menschheit steht vor einer Prüfung. Wir können dabei einfach nur zuschauen oder uns aktiv an der Gestaltung einer neuen Welt beteiligen. Walschs Buch ist eine Aufforderung zum Handeln, zur Kommunikation und Vernetzung der Menschheit.

Der Super-
bestseller aus
Brasilien

AUGUSTO CURY
Der Traumhändler
272 Seiten
€ [D] 16,99 / € [A] 17,50
sFr 23,90
ISBN 978-3-7934-2231-0

Was wäre, wenn jemand uns heute
die christliche Botschaft vorlebte – würden
wir ihm folgen? Ein geheimnisvoller Mann
streift durch die Straßen der Großstadt
und verkauft Träume an Menschen, die es
längst nicht mehr wagen zu träumen.
Ein Betrüger? Ein Psychopath? Ein Weiser?
Ein Philosoph?

Lebenshilfe kompakt

RENATO MIHALIC
Das Geheimnis der Mujas
Meditationen für ein
neues Bewusstsein
160 Seiten
€ [D] 8,99 / € [A] 9,30
sFr 12,50
ISBN 978-3-548-74549-7

Die altägyptischen Mujas sind spezielle Kombinationen von Finger- und Handstellungen sowie Akupressurpunkten, die verschiedene energetische Systeme miteinander verbinden. Sehr leicht und überall sofort anwendbar, verhelfen diese Werkzeuge dem Menschen zu mehr Klarheit und Wohlsein. Darüber hinaus unterstützen sie ihn, sich feiner auf sich selbst auszurichten, sich dem »Jetzt-Augenblick« hinzugeben und neue Lösungen zu finden.